Georgian Vocabulary:
A Georgian Language Guide

Davit Iosava

Contents

Georgian alphabet

Georgian alphabet	Latin alphabet	transcription
ა	a	/ɑ/
ბ	b	/b/
გ	g	/g/
დ	d	/d/
ე	e	/e/
ვ	v	/v/
ზ	z	/z/
თ	T (soft t)	/t/
ი	i	/ ɪ /
კ	K (hard k)	/k'/
ლ	l	/l/
მ	m	/m/
ნ	n	/n/
ო	o	/ɔ/
პ	p	/p'/
ჟ	jh	/ʒ/
რ	r	/r/
ს	s	/s/
ტ	T (hard t)	/t'/
უ	u	/u/
ფ	P (soft p,almost like F)	/p^{h}/
ქ	Q (soft k)	/k^{h}/
ღ	Gh (throaty sound, similar to French *r*)	/ɣ/
ყ	Kh (very hard H)	/q'/
შ	sh	/ʃ/
ჩ	ch	/tʃ^{h}/
ც	ts	/ts^{h}/

ძ	dz	/dz/
წ	Ts (distinct ts)	/ts'/
ჭ	Ch (hard ch)	/tʃ/
ხ	Kh (sounds like hard h)	/x/
ჯ	j	/d͡ʒ/
ჰ	hae	/h/

1) Measurements
1) გაზომვა
1) Gazomva

acre

აკრი

A_kri_

---

area

ტერიტორია

*Terit*___o___*ria*

---

centimeter

სანტიმეტრი

*Santim*___e___*tri*

---

case

ყუთი/კონტეინერი

*Kh*___u___*ti\kont*___e___*interi*

---

cup

ჭიქა

*Ch*___i___*qa*

---

dash

ტირე/ხაზი

*T*___i___*re/kh*___a___*zi*

---

degree

გრადუსი

Gradusi

---

depth

სიღრმე

Sighrme

---

dozen

თორმეტი ცალი

Tormeti tsali

---

foot

ფუტი

Puti

---

gallon

გალონი

Galoni

---

gram

გრამი

Grami

---

height

სიმაღლე

Simaghle

---

huge

უზარმაზარი

Uzarmazari

inch

დიუმი

Diumi

kilometer

კილომეტრი

Kilometri

length

სიგრძე

Sigrdze

liter

ლიტრი

Litri

little

პატარა

Patara

measure

ზღვარი/ზომა

Zghvari/zoma

meter

მეტრი

Metri

mile

მილი

Mili

minute

წუთი

Tsuti

miniature

მინიატურული

Miniaturuli

ounce

უნცია

Untsia

perimeter

პერიმეტრი

Perimetri

pint

პინტა

Pinta

pound

ფუნტი

Punti

quart

კვარტა

Kvarta

ruler

სახაზავი

Sakhazavi

scale

მასშტაბი

Masshtabi

small

პატარა

Patara

tablespoon

სუფრის კოვზი

Sufris kovzi

teaspoon

ჩაის კოვზი

Chais kovzi

ton

ტონა

Tona

volume

ტევადობა

Tevadoba

weight

წონა

Tsona

width

სიგანე

Sigane

yard

იარდი

Iardi

Time

დრო

Dro

What time is it?

რომელი საათია?

Romeli saatia?

It's 1:00 AM/PM

დილის/საღამოს 1:00 საათი

Dilis/saghamos pirveli saati

It's 2:00 AM/PM

დილის/საღამოს2:00 საათი

Dilis/saghamos ori saati

It's 3:00 AM/PM

დილის/საღამოს 3:00 საათი

Dilis/saghamos sami saati

It's 4:00 AM/PM

დილის/საღამოს 4:00 საათი

Dilis/saghamos otxi saati

It's 5:00 AM/PM

დილის/საღამოს 5:00 საათი

Dilis/saghamos xuti saati

It's 6:00 AM/PM

დილის/საღამოს 6:00 საათი

Dilis/saghamos ekvsi saati

It's 7:00 AM/PM

დილის/საღამოს 7:00 საათი

Dilis/saghamos shvidi saati

It's 8:00 AM/PM

დილის/საღამოს 8:00 საათი

*D**i**lis/s**a**ghamos rv**a** s**a**ati*

It's 9:00 AM/PM

დილის/საღამოს 9:00 საათი

*D**i**lis/s**a**ghamos cxr**a** s**a**ati*

It's 10:00 AM/PM

დილის/საღამოს 10:00 საათი

*D**i**lis/s**a**ghamos **a**ti s**a**ati*

It's 11:00 AM/PM

დილის/საღამოს 11:00 საათი

*D**i**lis/s**a**ghamos t**e**rtmeti s**a**ati*

It's 12:00 AM/PM

დილის/საღამოს 12:00 საათი

*D**i**lis/s**a**ghamos t**o**rmeti s**a**ati*

---

in the morning

დილით

*D**i**lit*

---

in the afternoon

დღისით

*Dgh**i**sit*

---

in the evening

საღამოს

Saghamos

at night

ღამე

Ghame

afternoon

შუადღე

Shuadghe

annual

ყოველწლიური

Khoveltsliuri

calendar

კალენდარი

Kalendari

daytime

დღისით

Dghisit

decade

ათწლეული

Attsleuli

evening

საღამო

Saghamo

---

hour

საათი

Saati

---

midnight

შუაღამე

Shuaghame

---

minute

წუთი

Tsuti

---

morning

დილა

Dila

---

month

თვე

Tve

---

night

ღამე

Ghame

---

noon

შუადღე

Shuadghe

nighttime

ღამის საათებში

Ghamis saatebshi

now

ახლა

Akhla

o'clock

საათი

Saati

past

წარსული

Tsarsuli

present

აწმყო

Atsmkho

second

წამი

Tsami

sunrise

მზის ამოსვლა

Mzis amosvla

sunset

მზის ჩასვლა

Mzis chasvla

today

დღეს

Dghes

tonight

ამ საღამოს/ ამაღამ

Am saghamos/ amagham

tomorrow

ხვალ

Khval

week

კვირა

Kvira

watch

მაჯის საათი

Majis saati

year

წელი

Tseli

yesterday

გუშინ

Gushin

Months of the Year

წელიწადის თვეები

Tselitsadis tveebi

January

იანვარი

Ianvari

February

თებერვალი

Tebervali

March

მარტი

Marti

April

აპრილი

Aprili

May

მაისი

Maisi

June

ივნისი

Ivnisi

July

ივლისი

Ivlisi

August

აგვისტო

Agvisto

September

სექტემბერი

Seqtemberi

October

ოქტომბერი

Oqtomberi

November

ნოემბერი

Noemberi

December

დეკემბერი

Dekemberi

Days of the Week
კვირის დღეები
Kviris dgheebi

Monday

ორშაბათი

Orshabati

Tuesday

სამშაბათი

Samshabati

Wednesday

ოთხშაბათი

Otkhshabati

Thursday

ხუთშაბათი

Khutshabati

Friday

პარასკევი

Paraskevi

Saturday

შაბათი

Shabati

Sunday

კვირა

Kvira

Seasons

წელიწადის დროები

Tselitsadis droebi

winter

ზამთარი

Zamtari

spring

გაზაფხული

Gazapkhuli

summer

ზაფხული

Zapkhuli

fall/autumn

შემოდგომა

Shemodgoma

Numbers
რიცხვები
Ritskhvebi

One(1)

ერთი(1)

Erti(1)

Two(2)

ორი(2)

Ori(2)

Three(3)

სამი(3)

Sami(3)

Four(4)

ოთხი(4)

Otkhi(4)

Five(5)

ხუთი(5)

Khuti(5)

Six(6)

ექვსი(6)

Eqvsi(6)

Seven(7)

შვიდი(7)

Shvidi(7)

Eight(8)

რვა(8)

Rva(8)

Nine(9)

ცხრა(9)

Tskhra(9)

Ten(10)

ათი(10)

Ati(10)

Eleven(11)

თერთმეტი(11)

Tertmeti(11)

Twelve(12)

თორმეტი(12)

Tormeti(12)

Twenty(20)

ოცი(20)

Otsi(20)

Fifty(50)

ორმოცდაათი(50)

Ormotsdaati(50)

Hundred(100)

ასი(100)

Asi(100)

Thousand(1000)

ათასი(1000)

Atasi(1000)

Ten Thousand(10,000)

ათი ათასი(10,000)

Ati atasi(10,000)

Hundred Thousand(100,000)

ასი ათასი(100,000)

Asi atasi(100,000)

Million(1,000,000)

მილიონი(1,000,000)

Millioni(1,000,000)

Billion(1,000,000,000)

მილიარდი(1,000,000,000)

Milliardi(1,000,000,000)

Ordinal Numbers
რიგითი რიცხვითი სახელები
Rigiti ritskhviti sakhelebi

first

პირველი

Pirveli

second

მეორე

Meore

third

მესამე

Mesame

fourth

მეოთხე

Meotkhe

fifth

მეხუთე

Mekhute

sixth

მეექვსე

Meekvse

seventh

მეშვიდე

Meshvide

eighth

მერვე

Merve

ninth

მეცხრე

Metskhre

tenth

მეათე

Meate

eleventh

მეთერთმეტე

Metertmete

twelfth

მეთორმეტე

Metormete

therteenth

მეცამეტე

Metsamete

twentieth

მეოცე

Meotse

twenty-first

ოცდამეერთე

Otsdameerte

hundredth

მეასე

Mease

thousandth

მეათასე

Meatase

millionth

მემილიონე

Memilione

billionth

მემილიარდე

Memiliarde

Geometric Shapes
გეომეტრიული ფიგურები
Geometriuli pigurebi

angle

კუთხე

Kutkhe

circle

წრე

Tsre

cone

კონუსი

Konusi

cube

კუბი

Kubi

cylinder

ცილინდრი

Tsilindri

heart

გული

Guli

heptagon

შვიდკუთხედი

Shvidkutxedi

hexagon

ექვსკუთხედი

Eqvskutkhedi

line

ხაზი

Khazi

octagon

რვაკუთხედი

Rvakutkhedi

oval

ოვალი

Ovali

Parallel lines

პარალელური ხაზები

Paraleluri khazebi

parallel

პარალელი

Paraleli

pentagon

ხუთკუთხედი

Khutkhutkhedi

Perpendicular lines

პერპენდიკულარული ხაზები

Perpendikularuli khazebi

---

perpendicular

პერპენდიკულარი

Perpendikulari

---

polygon

მრავალკუთხედი

Mravalkutkhedi

---

pyramid

პირამიდა

Piramida

---

rectangle

მართკუთხედი

Martkutkhedi

---

rhombus

რომბი

Rombi

---

square

ოთხკუთხედი

Otkhkutkhedi

---

star

ვარსკვლავი

Varskvlavi

---

trapezoid

ტრაპეცია

Trapetsia

---

triangle

სამკუთხედი

Samkutkhedi

---

vortex

ძაბრი

Dzabri

Colors
ფერები
Perebi

black

შავი

Shavi

---

biege

ბეჟი

*B**e**jhi*

---

blue

ლურჯი

*L**u**rji*

---

brown

ყავისფერი

*Kh**a**visperi*

---

fuchsia

ფუქსია

*P**u**qsia*

---

gray

ნაცრისფერი

*N**a**tsrisperi*

---

green

მწვანე

*Mtsv**a**ne*

---

indigo

მუქი ლურჯი

*M**u**qi l**u**rji*

---

maroon

წაბლისფერი

Tsablisperi

navy blue

მუქი ლურჯი

Muqi lurji

orange

ნარინჯისფერი

Narinjisperi

pink

ვარდისფერი

Vardisperi

purple

იასამნისფერი

Iasamnisperi

red

წითელი

Tsiteli

tan

მოწითალო-მიხაკისფერი

Motsitalo-mikhakisperi

teal

ტალღისფერი

Talghisperi

turquoise

ფირუზისფერი

Piruzisperi

silver

ვერცხლისფერი

Vertskhlisperi

violet

იისფერი

Iisperi

white

თეთრი

Tetri

yellow

ყვითელი

Khviteli

Related Verbs
დაკავშირებული ზმნები
Dakavshirebuli zmnebi

to add

დამატება

Damateba

---

to change

შეცვლა

Shetsvla

---

to check

შემოწმება

Shemotsmeba

---

to color

გაფერადება

Gaperadeba

---

to count

თვლა

Tvla

---

to divide

გაყოფა

Gakhopa

---

to figure

წარმოდგენა

Tsarmodgena

to fill

შევსება

Shevseba

to guess

გამოცნობა

Gamotsnoba

to measure

გაზომვა

Gazomva

to multiply

გამრავლება

Gamravleba

to subtract

გამოკლება

Gamokleba

to take

აღება

Agheba

to tell time

დროის თქმა

Drois tqma

---

to verify

დადასტურება

Dadastureba

---

to watch

ყურება

Khureba

Michael is a **ten** year old boy who lives in Georgia. His family owns a **twenty acre** farm; he has **two** brothers and **three** sisters. Michael loves to work on his family's farm. He and his brothers wake up at **6:00 in the morning** every day. His favorite thing to do is ride his **brown** and **white** horse around the **perimeter** of the farm to check the fencing for damage. Even if there is only a **centimeter** of damaged wood, Michael must repair it. He also has to **measure** the **height** and **width** of the fence. He takes this job very seriously, so he doesn't want to miss a thing. Michael especially loves working on the farm in **autumn** because they sell more than **one thousand orange** pumpkins during the **month** of **October**! People from all over the state travel for **miles** to buy their pumpkins. Some of their pumpkins **weigh** as much as **one hundred pounds**! In the **winter**, his family sells Christmas trees. He loves helping other families find the perfect tree, whether it is **four feet**, **seven feet**, or even **nine feet tall**! In **December**, his family sells a **dozen green** trees a **day**, this keeps Michael very busy. In the **spring**, his family prepares the crops for the **summer** and **autumn** harvest. Because **spring** is such a busy **time** in school, each of the siblings take turns with special projects on the farm during the **week**; Michael's is the **first** day of the week,

Monday; Henry's is the **second** day, **Tuesday**; Alan's is the **third** day, **Wednesday**; Sally's is the **fourth** day, **Thursday**; and Ann's is the **fifth** day, **Friday**. Little Ella is still too young for chores, but she loves to **measure** the **height** of the blooming **red** and **yellow** flowers with her **small ruler**. She is a **miniature** version of their mom. She cannot wait to grow up and help around the farm. During **summer**, Michael spends most of his **time** helping his mom cook. It is so hot outside, especially in **July** and **August**; he decided he needed a fun indoor activity. While cooking, he is learning how to convert different types of **measures**, like how many **teaspoons** are in a **tablespoon** and how many **cups** are in a **gallon**; he is also learning to add a **dash** here and **sprinkle** a **little** there to make the recipe just right. Mom knows cooking is a good skill to learn, but she also knows he will be learning these **measurements** in school this **September**.

მიშა **ათი** წლის ბიჭია რომელიც ცხოვრობს საქართველოში. მის **ოჯახს** აქვს **ოც** აკრიანი ფერმა; მას ჰყავს **ორი** ძმა **და** **სამი** და. მიშას **უყვარს** თავისი **ოჯახის** ფერმაში მუშაობა. ის ყოველდღე **დილის 6 საათზე** დგება თავის ძმებთან ერთად. ყველაზე მეტად მას **უყვარს** თავისი **ყავისფერი** და **თეთრი** ცხენით ჯირითი ფერმის ტერიტორიაზე **და** მესერის შემოწმება დაზიანებებზე . ერთი **სანტიმეტრიც** რომ იყოს დაზიანებული მიშამ **უნდა** შეაკეთოს. მან აგრეთვე **უნდა** **გაზომოს** მესერის **სიმაღლე** და **სიგანე**. ის ძალიან სერიოზულად **უდგება** ამ საქმეს,არაფრის გამოტოვება **უნდა**. მიშას განსაკუთრებით **უყვარს** **შემოდგომაზე** ფერმაში მუშაობა რადგან ისინი **ერთ ათასზე** მეტ **ნარინჯისფერ** გოგრას ყიდიან **ოქტომბრის** **თვეში!** ხალხი მთელი სახელმწიფოდან **მილებს** ლახავს მათი გოგრების ყიდვის მიზნით. ზოგიერთი გოგრა **ას** **ფუნტამდე** **იწონის**! ზამთარში მისი **ოჯახი** ნაძვის ხეებს ყიდის. მას **უყვარს** როცა სხვა **ოჯახებს** ეხმარება იდეალური ხის არჩევაში,თუნდაც **ოთხი** **ფუტი,შვიდი** **ფუტი** ან **ცხრა** **ფუტი** **იყოს** სიმაღლეში! **დეკემბერში** მისი **ოჯახი**

დღეში ყიდის **თორმეტ ცალ მწვანე** ხეს,ამის გამო მიშა ძალიან დაკავებულია. **გაზაფხულზე** მისი ოჯახი ამზადებს მოსავალს **ზაფხულისა** და **შემოდგომის** მოსავლის აღებისათვის. რადგან **გაზაფხული** ძალიან დაკავებული **დროა** სკოლაში,დედმამიშვილები ერთმანეთს ცვლიან ფერმაში სხვადასხვა საქმის შესრულებისას **კვირის** განმავლობაში. მიშას დღეა **პირველი-ორშაბათი**,ჰენრის **მეორე-სამშაბათი**,ალანის დღე **მესამეა-ოთხშაბათი**,სალის **მეოთხე დღეა-ხუთშაბათი** ხოლო ანას **მეხუთე დღეა-პარასკევი**. უმცროსი ელა ჯერ ძალიან პატარაა საქმეებისათვის,მაგრამ მას უყვარს თავისი **პატარა სახაზავით** გაფურჩქნული **წითელი** და **ყვითელი** ყვავილების სიმაღლის გაზომვა. ის არის დედამისის მინიატურული ვერსია. ძალიან უნდა მალე გაიზარდოს და ფერმაში იმუშაოს. მთელი **ზაფხულის** განმავლობაში მიშა თავისი **დროის** უმეტეს ნაწილს დედის საჭმლის მზადებაში დახმარებას უთმობს. გარეთ ძალიან ცხელა,განსაკუთრებოთ **ივლისში** და **აგვისტოში**, და მან გადაწყვიტა რომ სჭირდებოდა სახალისო საქმე **სახლიდან** გაუსვლად . საჭმლის მომზადების დროს ის სწავლობს **გაზომვას**,მაგალითად რამდენი **ჩაის კოვზი** შედის **სუფრის კოვზში** და რამდენი **ფინჯანია გალონში**; ის აგრეთვე სწავლობს აქ რამდენიმე წვეთის დამატებასა და იქ **შეშხეფებას** რეცეპტი რომ ზუსტი იყოს. დედა თვლის რომ საჭმლის მომზადების ცოდნა კარგი უნარია,მაგრამ იცის რომ ის **სექტემბერში** უფრო კარგად შეისწავლის გაზომვას სკოლაში.

M**i**sha **ati** tsl**i**s b**i**chia r**o**melits tskh**o**vrobs s**a**qartveloshi. M**is** **o**jakhs **a**qvs **o**ts akriani p**e**rma; m**a**s hkh**a**vs **ori** dzm**a** d**a sami** d**a**. M**i**shas **u**khvars t**a**visi **o**jakhis p**e**rmashi m**u**shaoba. **I**s kh**o**veldghe **dilis ekvs saatze** dg**e**ba t**a**vis dzm**e**btan **e**rtad. Khv**e**laze m**e**tad m**a**s **u**khvars t**a**visi **khavisperi** d**a** **tetri** tskh**e**nit j**i**riti p**e**rmis t**e**ritoriaze d**a** m**e**seris sh**e**motsmeba d**a**zianebebze. **E**rti **santimetric** r**o**m **i**khos d**a**zianebuli M**i**sham **u**nda sh**e**aketos. M**a**n **a**gretve **u**nda **gazomos** meseris **simaghle** da **sigane**. Is dzalian seriozulad udgeba am saqmes,arapris gamotoveba unda. Mishas gansakutrebit ukhvars **shemodgomaze** permashi mushaoba radgan isini **ert atasze** met **narinjisper** gogras khidian **oqtombris tveshi**! Khalkhi mteli sakhelmtsipodan **milebs** lakhavs mati gogrebis khidvis miznit. Zogierti gogra **as puntamde itsonis**!Z amtarshi misi ojakhi nadzvis kheebs khidis. Mas **u**khvars rotsa skhva ojakhebs ekhmareba idealuri khis archevashi,tundats **otkhi puti,shvidi puti an tskhra puti** ikhos simaghleshi! **Dekembershi** misi ojakhi dgheshi khidis **tormet tsal mtsvane** khes,amis gamo Misha dzalian dakavebulia. **Gazapkhulze** misi ojakhi amzadebs mosavals **zapkhulisa** da **shemodgomis** mosavlis aghebisatvis. Radgan **gazapkhuli** dzalian dakavebuli **droa** skolashi,dedmamishvilebi ertmanets tsvlian permashi skhvadaskhva saqmis shesrulebisas **kviris** ganmavlobashi. Mishas dghea **pirveli-orshabati**,Henris **meore-samshabati**,Alanis dghe **mesamea-otkhshabati**,Salis **meotkhe** dghe-**khutshabati**, kholo Anas dghe **mekhutea-paraskevi**. Umtsrosi Ela jer dzalian pataraa saqmeebisatvis,magram mas ukhvars tavisi **patara sakhzavit** gapurchqnuli **tsiteli** da **khviteli** khvavilebis simaghlis gazomva. Is aris dedamisis miniaturuli versia. Dzalian unda male gaizardos da permashi imushaos. Mteli **gazapxulis** ganmavlobashi Misha tavisi **drois** umetes natsils dedis sachmlis mzadebashi dakhmarebas utmobs. Garet dzalian tskhela,gansakutrebit **ivlisshi** da **agvistoshi**,da man gadatskhvita rom schirdeboda sakhaliso saqme sakhlidan gausvlelad. Sachmlis momzadebis dros is stsavlobs **gazomvas**,magalitad ramdeni **chais kovzi** shedis **supris kovzshi** da ramdeni **pinjania galonshi**; is agretve stsavlobs aq **ramdenime tsvetis** damatebasa da iq **sheshkhepebas** retsepti rom zusti ikhos. Deda tvlis rom sachmlis momzadebis tsodna kargi unaria, magram itsis rom is seqtembershi upro kargad sheistsavlis gazomvas skolashi.

2) Weather
2) ამინდი
2) Amindi

air

ჰაერი

Haeri

Air pollution

ჰაერის დაბინძურება

Haeris dabindzureba

atmosphere

ატმოსფერო

Atmospero

avalanche

ზვავი

Zvavi

barometer

ბარომეტრი

Barometri

Barometric pressure

ატმოსფერული წნევა

Atmosperuli tsneva

blizzard

ქარბუქი

Qarbuqi

---

breeze

ნიავი

Niavi

---

climate

კლიმატი

Klimati

---

cloud

ღრუბელი

Ghrubeli

---

cold

სიცივე

Sitsive

Cold front

ცივი ფრონტი

Tsivi pronti

---

condensation

კონდენსაცია

Kondensatsia

---

cyclone

ციკლონი

Tsikloni

degree

გრადუსი

Gradusi

depression

დაკლება

Dakleba

dew

ნამი

Nami

Dew point

დნობის ტემპერატურა

Dnobis temperatura

Downpour

ნიაღვარი

Niaghvari

drift

დინება

Dineba

drizzle

თქორი

Tqori

---

drought

მშრალი

Mshrali

---

dry

სიმშრალე

Simshrale

Dust devil

ქარიშხალი

Qarishkhali

---

duststorm

მტვრიანი ქარიშხალი

Mtvriani qarishkhali

Easterly wind

აღმოსავლეთის ქარი

Aghmosavletis qari

---

evaporation

აორთქლება

Aortqleba

Eye of the strorm

ქარიშხალის დროებითი ჩაწყნარება

*Q**a**rishkhalis dr**o**ebiti ch**a**tskhnareba*

---

fair

ნათელი

*N**a**teli*

---

fall

შემოდგომა

*Sh**e**modgoma*

---

flood

წყალდიდობა

*Tsk**a**ldidoba*

Flash flood

მოულოდნელი ქარიშხალი

*M**o**ulodneli q**a**rishkhali*

Flood stage

წყალდიდობა

*Tskh**a**ldidoba*

Flurries(snow)

თავსხმა(თოვა)

*T**a**vskhma (tova)*

---

fog

ნისლი

Nisli

forecast

პროგნოზი

Prognozi

freeze

მოყინვა

Mokhinva

Freezing rain

ცივი წვიმა

Tsivi tsvima

Front (cold/hot)

ფრონტი(ცივი/ცხელი)

Pronti(tsivi/tskheli)

frost

ყინვა

Khinva

Funnel cloud

ძაბრისმაგვარი ღრუბელი

Dzabrismagvari ghrubeli

Global warming

გლობალური დათბობა

Globaluri datboba

Gust of wind

ძლიერი დაბერვა

Dzlieri daberva

hail

სეტყვა

Setkhva

haze

ბურუსი

Burusi

heat

სითბო

Sitbo

Heat index

სითბური ინდექსი

Sitburi indeqsi

Heat wave

სითბური ტალღა

Sitburi talgha

high

მაღალი

Maghali

---

humid

ნოტიო

Notio

---

humidity

სინესტე

Sineste

---

hurricane

ქარიშხალი

Qarishkhali

---

ice

ყინული

Khinuli

Ice crystals

ყინულის კრისტალები

Khinulis kristalebi

Ice storm

ყინულის ქარიშხალი

Khinulis qarishkhali

---

icicle

ლოლუა

Lolua

Jet stream

ჰაერის ძლიერი ნაკადი

Haeris dzlieri nakadi

landfall

მეწყერი

Metskheri

lightning

ელვა

Elva

Low

დაბალი

Dabali

Low pressure system

დაბალი წნევის სისტემა

Dabali tsnevis sistema

meteorologist

მეტეოროლოგი

Meteorologi

meteorology

მეტეოროლოგია

Meteorologia

microburst

მიკროაფეთქება

Mikroapetqeba

mist

ნისლი

Nisli

moisture

სინოტივე

Sinotive

monsoon

მუსონი

Musoni

muggy

ტენიანი

Teniani

nor'easter

ძლიერი ჩრდილოეთ-აღმოსავლეთის ქარი

Dzlieri Chrdiloet-aghmosavletis qari

normal

ნორმალური

Normaluri

outlook

ხედი

Khedi

Overcast

მოღრუბლული

Moghrubluli

ozone

ოზონი

Ozoni

Partly cloudy

ნაწილობრივ ღრუბლიანი

Natslilobriv ghrubliani

polar

პოლარული

Polaruli

pollutant

დამაბინძურებელი აგენტი

Damabindzurebeli agenti

precipitation

ნალექი

Naleqi

pressure

წნევა

Tsneva

radar

რადარი

Radari

radiation

რადიაცია

Radiatsia

rain

წვიმა

Tsvima

rainbow

ცისარტყელა

Tsisartkhela

Rain gauge

ნალექის საზომი აპარატი

Naleqis sazomi aparati

Relative humidity

ფარდობითი ნესტიანობა

Pardobiti nestianoba

---

sandstorm

ქვიშის ქარი

Qvishis qari

---

season

სეზონი

Sezoni

---

shower

კოკისპირული წვიმა

Kokispiruli tsvima

---

sky

ცა

Tsa

---

slush

გამდნარი თოვლი

Gamdnari tovli

---

smog

ხშირი ნისლი

Khshiri nisli

sleet

თოვლჭყაპი

Tovlchkhapi

---

smoke

მური

Muri

---

snow

თოვლი

Tovli

---

snowfall

თოვა

Tova

---

snowflake

ფიფქი

Pipqi

Snow furry

ფუმფულა თოვლი

Pumpula tovli

---

snowshower

ძლიერი თოვა

Dzlieri tova

---

snowstorm

ქარბუქი

Qarbuqi

spring

გაზაფხული

Gazapkhuli

storm

გრიგალი

Grigali

Storm surge

ზღვის ღელვა

Zghvis ghelva

stratosphere

სტრატოსფერო

Stratospero

summer

ზაფხული

Zapkhuli

sunrise

მზის ამოსვლა

Mzis amosvla

sunset

მზის ჩასვლა

Mzis chasvla

supercell

ტორნადოს წარმომქნელი ქარი

Tornados tsarmomqneli qari

swell

ჭავლი

Chavli

surge

დიდი ტალღა

Didi talgha

temperature

ტემპერატურა

Temperatura

thaw

დნობა

Dnoba

thermal

თერმული

Termuli

thermometer

თერმომეტრი

Termometri

thunder

მეხი

Mekhi

tornado

ქარიშხალი

Qarishkhali

thunderstorm

ავდარი

Avdari

trace

კვალი

Kvali

tropical

ტროპიკული

Tropikuli

Tropical depression

ტროპიკული წნევის დაწევა

Tropikuli tsnevis datseva

tropical storm

ტროპიკული გრიგალი

Tropikuli grigali

---

turbulence

მღელვარება

Mghelvareba

---

twister

ტორნადო

Tornado

---

typhoon

ტაიფუნი

Taipuni

---

unstable

არამდგრადი

Aramdgradi

---

visibility

ხილვადობა

Khilvadoba

---

vortex

გრიგალი /მორევი

Grigali /morevi

---

warm

თბილი

Tbili

warning

გაფრთხილება

Gaprtkhileba

watch

ყურება

Khureba

weather

ამინდი

Amindi

Weather pattern

ამინდის თარგი

Amindis targi

weather report

ამინდის პროგნოზი

Amindis prognozi

Weather satellite

მეტეოროლოგიური თანამგზავრი

Meteorologiuri tanamgzavri

wind

ქარი

Qari

---

wind chill

გრილი ქარი

Grili qari

---

winter

ზამთარი

Zamtari

Related Verbs
დაკავშირებული ზმნები
Dakavshirebuli zmnebi

To blow

ქროლა

Qrola

To clear up

გამოდარება

Gamodareba

---

to cool down

ჩაწყნარება

Chatskhnareba

---

to drizzle

ჟიჟღვლა

Jhijhghvla

to feel

შეგრძნება

Shegrdzneba

to forecast

პროგნოზირება

Prognozireba

to hail

სეტყვა

Setkhva

to rain

წვიმა

Tsvima

To report

შეტყობინება

Shetkhobineba

to shine

ნათება

Nateba

to snow

თოვა

Tova

---

to storm

გრიგალი

Grigali

To warm up

გათბობა

Gatboba

---

to watch

ყურება

Khureba

Heather loves the **seasons** and **weather**. She dreams of one day becoming a **meteorologist** so she can share her love with everyone. She is currently attending school to study the **weather** and how it works. She is learning that each of the four **seasons** brings its own **weather patterns** to the world. She is amazed at how the **seasons** affect the **weather**. The **seasons** vary throughout the world, but here in America, where Heather lives, there are four distinct **seasons**, and each of them brings something different to our world. In **winter**, the **temperature** is **cold** and the ground is white with **snow**. The **wind** gets so **cold** up on the mountaintop that the **wind chill** is below zero **degrees**. Sometimes, the **wind** blows with such force that it causes an **avalanche** of **snow** on the mountain. When the **air** is this **cold**, you are likely to wake up with **frost** on your car. In the **spring**, things begin to **heat** up. The **temperature** begins to **warm** up a bit, making the **snow** on the ground **thaw** out. The flowers begin to bloom and the trees begin to grow leaves. **Spring** often brings **rain**; sometimes the **rain** is so heavy, it causes **flash floods**. A common sighting in spring is a beautiful **rainbow** after the **rain**. The **temperature** is **hot** in the **summer.** The **temperatures** begin to rise and the **heat index** goes up causing a **heat wave**. There is not much **precipitation** in **summer**; however, occasionally the **clouds** bring a **thunderstorm**. The **rain** usually does not last long in **summer**, but the **thunder** and **lightning** can be dangerous. Every time there is a **thunderstorm**, Heather will watch the **weather report** to see if they will issue a **watch** or a **warning**. After **summer**, **fall** brings the start of **cool temperatures**. The leaves on the trees begin to fall, preparing the tree for the **winter**. In the coastal regions, **hurricanes** become a problem in the **fall**. This is a dangerous, yet exciting time in the world of **meteorology**. The **seasons** have a huge effect on **weather**; however the biggest changes in **weather** and the most dangerous events, such as **tsunamis**, **tornados**, and **storms**, occur during the change in **seasons**. The **unstable** and ever-changing **temperatures** affect the **barometric pressure** in a way that causes these types of events. While dangerous, they are exciting to someone like Heather who studies the **weather**. Heather's goal is to one day help educate and warn people in advance when these events are likely to occur.

ჰეზერს უყვარს **წელიწადის დროები** და **ამინდი**. ის ოცნებობს რომ ერთ მშვენიერ დღეს **მეტეოროლოგი** გახდება და შეძლებს თავისი სიყვარულის ყველასთან გაზიარებას. ამჟამად ის დადის სასწავლებელში რომ შეისწავლოს **ამინდი** და მისი მოქმედების მექანიზმები. ის სწავლობს რომ თითოეულ **წელიწადის დროს** მოაქვს თავისი **ამინდის თარგი** მსოფლიოში. მას უკვირს რამხელა ზეგავლენას ახდენს **სეზონები ამინდზე**. **სეზონები** განსხვავდება მთელ მსოფლიოში მაგრამ, იქ სადაც ჰეზერი ცხოვრობს,ამერიკაში, ოთხი მკვეთრად გამოხატული **სეზონია** და თითოეული ქმნის განსხვავებულ პირობებს ჩვენს მსოფლიოში. **ზამთარში ტემპერატურა** დაბალია და მიწა დაფარულია თეთრი

თოვლით. **ქარი** იმდენად **ცივდება** მთის მწვერვალებთან რომ **გრილი** ქარის თემპერატურა ნული **გრადუსის** ქვემოთ ეცემა. ზოგჯერ **ქარი** ისეთი ძალით უბერავს რომ **იწვევს** **თოვლიანი ზვავების** ჩამოსსვლას მთებიდან. როდესაც **ჰაერი ცივდება** თქვენ შესაძლოა გაიღვიძოთ და ყინულით მოფარული მანქანა იხილოთ. **გაზაფხულზე თბება. ტემპერატურა** ნელნელა **მატულობს** და **ადნობს თოვლს** მიწაზე. ყვავილები იწყებენ გაფურჩქვნას და ხეებზე **იზრდება** ფოთლები. **გაზაფხულს** ხშირად მოაქვს **წვიმა,**ზოგჯერ წვიმა იმდენად ძლიერია რომ იწვევს **მოულოდნელ წყალდიდობებს.** გაზაფხულზე **წვიმის** შემდეგ ძალიან ხშირია ლამაზი **ცისარტყელა. ტემპერატურა** ზაფხულზე **მაღალი.** ტემპერატურა იწყებს ზრდას და **სოთბური ინდექსი** მაღლა იწევს რაც იწვევს **სითბურ ტალღებს.ზაფხულზე** არარის ბევრი **ნალექი,** მაგრამ **ღრუბლებს** ზოგჯერ მოაქვს **ავდარი. წვიმა ზაფხულში** დიდხანს არ გრძელდება მაგრამ **მეხი** და ელვა შეიძლება სახიფათო გახდეს. **ავდარის** დროს ჰეზერი ყოველთვის უყურებს **ამინდის პროგნოზს** და ელოდება თუ გამოაცხადებენ **საგანგაშო სიტუაციას** ან **გაფრთხილებას. ზაფხულის** შემდეგ **შემოდგომას** მოაქვს **გრილი ტემპერატურები.** ფოთლები ცვივა ხეებიდან და ამზადებენ ხეებს **ზამთრისათვის.** სანაპირო რეგიონებში **ქარიშხალი** პრობლემად იქცევა **შემოდგომაზე.** ეს არის საფრთხიანი და ამაღელვებელი პერიოდი **მეტეოროლოგიის** სამყაროში. **სეზონები** ახდენენ უზარმაზარ ზეგავლენას **ამინდზე,**მაგრამ **ამინდის** ყველაზე დიდი ცვლილება და ყველაზე სახიფათო მოვლენები,როგორიცაა **ცუნამი, ტორნადო** და **ზღვის ღელვა** ემთხვევა **სეზონიდან სეზონზე** გადასვლის დროს. **არამდგრადი** და **მარად ცვლილებადი ტემპერატურები** ახდენენ ზეგავლენას ატმოსფერულ წნევაზე რაც **იწვევს** ასეთ მოვლენებს. ზოგისთვის სახიფათო,ხოლო იმისათვის ვინც ჰეზერისნაირად შეისწავლის **ამინდს** საინტერესოა. ჰეზერის მთავარი მიზანია მომავალში

ასწავლოს და გააფრთხილოს ხალხი წინასწარ ასეთი მოვლენების დროს.

Hezers ukhvars **tselitsadis droebi da amindi.** Is otsnebobs rom ert mshvenier dghes **meteorologi** gakhdeba da shedzlebs tavisi siyvarulis yvelastan gaziarebas. Amjhamad is dadis sastsavlebelshi rom sheistsavlos **amindi** da misi moqmedebis meqanizmebi. Is swavlobs rom titoeul **tselitsadis dros** moqavs tavisi **amindis targi** msoplioshi. Mas ukvirs ramkhela zegavlenas akhdens **sezonebi amindze. Sezonebi** ganskhvavdeba mtel msoplioshi magram iq sadac Hezeri tskhovrobs,amerikashi,otkhi mkvetrad gamokhatuli **sezonia** da titoeuli qmnis ganskhvavebul pirobebs chvens msoflioshi. **Zamtarshi temperatura** dabalia da mitsa daparulia tetri **tovlit.** Qari imdenad **tsivdeba** mtis mtsvervalebtan rom **grili** qaris temperatura nuli **gradusis** qvemot etsema. Zogjer **qari** iseti dzalit **uberavs** rom itsvevs **tovliani zvavebis** chamosvlas mtebidan. Rodesats **khaeri tsivdeba** tqven shesadzloa gaighvidzot da khinulit moparuli manqana ikhilot. **Gazapkhulze tbeba. Temperatura** nelnela **matulobs** da adnobs tovls mitsaze. Khvavilebi itskheben gapurchkvnas da kheebze izrdeba potlebi. **Gazpkhuls** khshirad moaqvs tsvima,zogjher **tsvima** imdenad dzlieria rom itsvevs **moulodnel tskhaldidobebs.** Gazapkhulshi **tsvimis** shemdeg dzalian khshiria lamazi **tsisartkhela. Temperatura** zapkhulshi **maghali.** Temperatura itskhebs zrdas da **sitburi indeksi** maghla itsevs rac itsvevs **sitbur talghebs. Zapkhulshi** araa bevri **naleqi,**magram **grublebs** zogjher moaqvs avdari. Tsvima zapkhulshi didkhans ar grdzeldeba magram **mekhi** da elva sheidzleba sakhipato gakhdes. **Avdaris** dros hezeri khoveltvis ukhurebs **amindis prognozs** da elodeba tu gamoatskhadeben **sagangasho situatsias** an **gaprtkhilebas. Zapkhulis** shemdeg **shemodgomas** moaqvs **grili temperaturebi.** Potlebi tsviva kheebidan da amzadeben kheebs zamtrisatvis. Sanapiro regionebshi **qarishkhali** problemad iqtseva **shemodgomaze.** Es aris saprtkhiani da amaghelvebeli periodi **meteorologiis** samkharoshi. **Sezonebi** akhdenen **uzarmazar** zegavlenas amindze, magram **amindis** khvelaze didi tsvlileba da khvelaze sakhipato movlenebi, rogoritsaa **tsunami, tornado** da **zghvis ghelva** emtkhveva **sezonidan sezonze** gadasvlis dros. **Aramdgradi** da **marad tsvlilebadi temperaturebi** akhdenen zegavlenas atmosperul tsnevaze rats itsvevs aset movlenebs. Zogistvis sakhipato, kholo imisatvis vints hezerisnairad sheistsavlis **aminds** sainteresoa. Hezeris mtavari mizania momavalshi astsavlos da gaaprtkhilos khalkhi tsinastsar aseti movlenebis dros.

3) People
3) ხალხი
3) Khalkhi

athlete

ათლეტი

Atleti

baby

ჩვილი

Chvili

boy

ბიჭი

Bichi

boyfriend

შეყვარებული/მეგობარი(ვაჟი)

Shekhvarebuli/megobari (vajhi)

brother

ძმა

Dzma

brother-in-law

მაზლი/ქვისლი

Mazli/qvisli

businessman

ბიზნესმენი

Biznesmeni

candidate

კანდიდატი

Kandidati

child/children

ბავშვი/ბავშვები

Bavshvi/bavshvebi

coach

მწვრთნელი

Mtsvrtneli

cousin

ბიძაშვილი/მამიდაშვილი

Bidzashvili/mamidashvili

daughter

ქალიშვილი

Qalishvili

daughter-in-law

რძალი

Rdzali

driver

მძღოლი

Mdzgholi

family

ოჯახი

Ojakhi

farmer

მეურნე

Meurne

father/dad

მამა

Mama

father-in-law

მამამთილი/სიმამრი

Mamamtili/simamri

female

ქალი

Qali

friend

მეგობარი

Megobari

girl

გოგო

Gogo

---

girlfriend

შეყვარებული/მეგობარი(ქალიშვილი)

Shekhvarebuli/megobari (qalishvili)

---

godparents

ნათლიები

Natliebi

---

grandchildren

შვილიშვილები

Shvilishvilebi

---

granddaughter

შვილიშვილი (გოგო)

Shvilishvili(gogo)

---

grandfather

ბაბუა

Babua

---

grandmother

ბებია

Bebia

---

grandprents

ბებია და ბაბუა

Bebia da babua

grandson

შვილიშვილი (ბიჭი)

Shvilishvili(bichi)

husband

ქმარი

Qmari

kid

ბავშვი

Bavshvi

man

კაცი

Katsi

mother/mom

დედა

Deda

mother-in-law

დედამთილი/სიდედრი

Dedamtili/sidedri

nephew

ძმიშვილი/დიშვილი (ვაჟი)

Dzmishvili/dishvili(vajhi)

niece

ძმიშვილი/დიშვილი (ქალიშვილი)

Dzmishvili/dishvili(qalishvili)

parent

მშობელი

Mshobeli

people

ხალხი

Khalkhi

sister

და

Da

queen

დედოფალი

Dedopali

rockstar

როკ ვარსკვლავი

Rok varskvlavi

sister-in-law

მული

Muli

---

son

ვაჟი

Vajhi

---

son-in-law

სიძე

Sidze

---

student

სტუდენტი

Studenti

---

teenager

მოზარდი

Mozardi

---

tourist

ტურისტი

Turisti

---

wife

ცოლი

Tsoli

---

woman

ქალი

Qali

youth

ყმაწვილი

Khmatsvili

Characteristics
დახასიათება
Dakhasiateba

Attractive

მიმზიდველი

Mimzidveli

bald

მელოტი

Meloti

beard

წვერი

Tsveri

beautiful

ლამაზი

Lamazi

black hair

შავთმიანი

Shavtmiani

---

blind

ბრმა

Brma

---

blond

ქერა

Qera

---

blue eyes

ცისფერთვალება

Tsispertvaleba

---

brown eyes

ყავისფერთვალება

Khavispertvaleba

---

brown hair/brunette

შავგრემანი

Shavgremani

Curly hair

ხვეული თმა

Khveuli tma

---

dark

მუქი

Muqi

deaf

ყრუ

Khru

divorced

განქორწინებული

Ganqortsinebuli

eldery

მოხუცებული

Mokhutsebuli

Fair (skin)

ღიაფერის(კანი)

Ghiaperis(kani)

fat

მსუქანი

Msuqani

gray hair

ჭაღარა

Chaghara

green eyes

მწვანეთვალება

Mtsvanetvaleba

handsome

ლამაზი

Lamazi

hazel eyes

თაფლისფერთვალება

Taplispertvaleba

heavyset

ძლიერი

Dzlieri

Light brown

ღია ყავისფერი

Ghia khavisperi

Long hair

გრძელი თმა

Grdzeli tma

married

ცოლიანი/გათხოვილი

Tsoliani/gatkhovili

mustache

ულვაში

Ulvashi

---

old

მოხუცი

Mokhutsi

---

olive

ზეთისხილისფერი

Zetiskhilisperi

---

overweight

ჭარბწონიანი

Charbtsoniani

---

pale

ფერწასული

Pertsasuli

---

petite

კოხტა

Kokhta

---

plump

სქელი

Sqeli

---

pregnant

ორსული

Orsuli

red head

წითელთმიანი

Tsiteltmiani

short

მოკლე/დაბალი

Mokle/dabali

short hair

მოკლე თმა

Mokle tma

skinny

გამხდარი

Gamkhdari

slim

კოხტა/სუსტი

Kokhta/susti

stocky

ჩასკვნილი

Chaskvnili

Straight hair

სწორი თმა

Stsori tma

---

tanned

მზემოკიდებული

Mzemokidebuli

---

tall

მაღალი

Maghali

---

thin

თხელი

Tkheli

Wavy hair

ტალღოვანი თმა

Talghovani tma

Well built

კარგი აღნაგობის

Kargi aghnagobis

---

white

თეთრი

Tetri

---

young

ახალგაზრდა

Akhalgazrda

Stages of Life

სიცოცხლის პერიოდები

Sitsoskhlis periodebi

adolescence

ახალგაზრდობა

Akhalgazrdoba

---

adult

მოწიფულობა

Motsipuloba

---

anniversary

წლისთავი

Tslistavi

---

birth

დაბადება

Dabadeba

---

death

სიკვდილი

Sikvdili

---

divorce

განქორწინება

Ganqortsineba

elderly

მოხუცებული

Mokhutsebuli

graduation

კურსის დამთავრება

Kursis damtavreba

infant

ჩვილი

Chvili

marriage

ცოლქმრობა

Tsolqmroba

middle-aged

ხანდაზმული

Khandazmuli

newborn

ახალშობილი

Akhalshobili

preschooler

სკოლამდელი ასაკის ბავშვი

Skolamdeli asakis bavshvi

---

preteen

ბავშვი 9-დან 12 წლამდე

Bavshvi tskhridan tormet tslamde

---

senior citizen

პენსიონერი

Pensioneri

---

teenager

მოზარდი

Mozardi

---

toddler

ბავშვი, რომელიც სიარულს იწყებს

Bavshvi, romelits siaruls itskhebs

---

twin

ტყუპი

Tkhupi

---

young adult

ახალგაზრდა

Akhalgazrda

---

youth

ყმაწვილობა

Khmatsviloba

Religion

რელიგია

Religia

Atheist/Agnostic

ათეისტი/აგნოსტიკოსი

Ateisti/agnostikosi

Baha'i

მუსლიმანი

Muslimani

Buddhist

ბუდისტი

Budisti

Christian

ქრისტიანი

Qristiani

Hindu

ინდუსი

Indusi

Jewish

ებრაელი

***E**braeli*

Muslim

მუსულმანი

*M**u**sulmani*

Sikh

სიკხი

*S**i**khi*

Work

სამუშაო

Samushao

accountant

ბუხჰალტერი

*B**u**khghalteri*

---

actor

მსახიობი

*Ms**a**khiobi*

---

associate

კოლეგა

*K**o**lega*

---

astronaut

ასტრონავტი

Astronavti

banker

ბანკირი

Bankiri

butcher

ყასაბი

Khasabi

carpenter

დურგალი

Durgali

chef

შეფ-მზარეული

Shep-mzareuli

clerk

მოხელე

Mokhele

composer

კომპოზიტორი

Kompozitori

custodian

მცველი

Mtsveli

dentist

კბილის ექიმი

Kbilis eqimi

doctor

ექიმი

Eqimi

electrician

ელექტროტექნიკოსი

Eleqtroteqnikosi

executive

ხელმძღვანელი

Khelmdzghvaneli

farmer

მეურნე

Meurne

fireman

მეხანძრე

Mekhandzre

handyman

ოსტატი

Ostati

judge

მოსამართლე

Mosamartle

landscaper

გამწვანებელი

Gamtsvanebeli

lawyer

ადვოკატი

Advokati

librarian

ბიბლიოთეკარი

Biblioteqari

manager

გამგე

Gamge

model

მოდელი

Modeli

notary

ნოტარიუსი

Notariusi

nurse

ექთანი

Eqtani

optician

ოპტიკოსი

Optikosi

pharmacist

ფარმაცევტი

Parmatsevti

pilot

პილოტი

Piloti

policeman

პოლიციელი

Politsieli

preacher

მქადაგებელი

Mqadagebeli

president

პრეზიდენტი

Prezidenti

representative

წარმომადგენელი

Tsarmomadgeneli

scientist

მეცნიერი

Metsnieri

secretary

მდივანი

Mdivani

singer

მომღერალი

Momgherali

soldier

ჯარისკაცი

Jariskatsi

teacher

მასწავლებელი

Mastsavlebeli

technician

ტექნიკოსი

Teqnikosi

treasurer

ხაზინადარი

Khazinadari

writer

მწერალი

Mtserali

zoologist

ზოოლოგი

Zoologi

Related Verbs
დაკავშირებული ზმნები
Dakavshirebuli zmnebi

To deliver

მიტანა

Mitana

to grow

ზრდა

Zrda

To enjoy

სიამოვნების მიღება

Siamovnebis migheba

to love

სიყვარული

Sikhvaruli

To grow

ზრდა

Zrda

To laugh

სიცილი

Sitsili

to make

შექმნა

Sheqmna

to manage

მართვა

Martva

To repair

აღდგენა

Aghdgena

to serve

მომსახურება

Momsakhureba

To sing

მღერა

Mghera

To smile

ღიმილი

Ghimili

---

to talk

საუბარი

Saubari

---

to think

ფიქრი

Piqri

---

to work

მუშაობა

Mushaoba

To work for

მუშაობა ვიღაცაზე

Mushaoba vighatsaze

To work at

მუშაობა სადღაც

Mushaoba sadghats

To work on

მუშაობა რაღაცაზე

Mushaoba raghatsaze

to worship

პატივისცემა / თაყვანისცემა

Pativistsema /takhvanistsema

To write

წერა

Tsera

4) Parts of the Body
4) სხეულის ნაწილები
4) Skheulis natsilebi

ankle

კოჭი

Kochi

---

arm

მკლავი

mklavi

---

back

ზურგი

Zurgi

---

beard

წვერი

Tsveri

---

belly

მუცელი

mutseli

---

blood

სისხლი

Siskhi

---

body

სხეული

Skheuli

bone

ძვალი

Dzvali

brain

ტვინი

Tvini

breast

მკერდი

Mkerdi

buttocks

დუნდულოები

Dunduloebi

calf

კანჭი

Kanchi

cheek

ლოყა

Lokha

chest

გულმკერდი

Gulmkerdi

chin

ნიკაპი

Nikapi

ear

ყური

Khuri

elbow

იდაყვი

Idakhvi

eye

თვალი

Tvali

eyebrow

წარბი

Tsarbi

eyelash

წამწამი

Tsamtsami

face

სახე

Sakhe

finger

თითი

Titi

Finger nail

ხელის თითის ფრჩხილი

Khelis titis prchkhili

fist

მუჭა

Mucha

flesh

ხორცი

Khortsi

foot/feet

ტერფი/ტერფები

Terpi/terpebi

forearm

წინამხარი

Tsinamkhari

forehead

შუბლი

Shubli

---

hair

თმა

Tma

---

hand

ხელი

Kheli

---

head

თავი

Tavi

---

heart

გული

Guli

---

heel

ქუსლი

Qusli

---

hip

თეძო

Tedzo

jaw

ყბა

Khba

knee

მუხლი

Mukhli

leg

ფეხი

Pekhi

lips

ტუჩები

Tuchebi

moustache

ულვაში

Ulvashi

mouth

პირი

Piri

muscle

კუნთი

Kunti

nail

ფრჩხილი

Prchkhili

neck

კისერი

Kiseri

nose

ცხვირი

Tskhviri

nostril

ნესტო

Nesto

palm

ხელისგული

Khelisguli

shin

წვივი

Tsvivi

shoulder

მხარი

Mkhari

skin

კანი

Kani

spine

ხერხემალი

Kherkhemali

stomach

კუჭი

Kuchi

teeth/tooth

კბილები/კბილი

Kbilebi/kbili

thigh

ბარძაყი

Bardzakhi

throat

ხახა

Khakha

thumb

ცერა თითი

Tsera titi

toe

ფეხის თითი

Pekhis titi

---

toenail

ფეხის თითის ფრჩხილი

Pekhis titis prchkhili

---

tongue

ენა

Ena

---

underarm

იღლია

Ighlia

---

waist

წელი

Tseli

---

wrist

მაჯა

Maja

Related Verbs
დაკავშირებული ზმნები
Dakavshirebuli zmnebi

to exercise

ვარჯიში

Varjishi

to feel

შეგრძნება

Shegrdzneba

to hear

გაგონება

Gagoneba

to see

დანახვა

Danakhva

to smell

ყნოსვა

Khnosva

to taste

გემოს გასინჯვა

Gemos gasinjva

to touch

შეხება

Shekheba

One day an alien crash landed on planet Earth. He was very confused and didn't know where he was. As he explored this undiscovered world, he happened along a little boy named David. David was eight years old and wasn't scared at all; after all, he knew there were aliens and he was happy to finally meet one. The alien had a large **head** and funny pointing **ears;** and he moved in a curious way with six **legs**! The alien was so confused when he saw the boy, so he asked David, "Why do you look so funny?" David laughed and told him all humans look like this. David had a good **heart** and wanted to make sure the alien was familiar with the people of Earth, so he told him all about how we use our body parts. "Let me tell you all about these funny parts", replied David. "On top of my body is my **head**; we have two **eyes** to see; two **ears** to hear; a **nose** to smell; and a **mouth** to talk and eat." The alien was surprised because he had all of these parts, but they looked much different. "Well then," said the alien, "what are those things you are standing on and why are there only two of them? David said, "These are **legs**, we just put one in front of the other and it makes us walk or run." The alien was amazed that the human could walk with only two **legs,** after all, he had six **legs** and he needed them all to get around! "What are those things that are dangling off your upper **legs**?" asked the alien. "Oh, these? They are called **fingers** and they are attached to my **hands** and **arms**. Look! Aren't they neat? I can wiggle them, tickle with them, I even use them to pick things up. They really come in handy for lots of different things." The alien really wanted a set of those fingers, and then to find out there are **toes** on the end of the **legs**... wow! He just had to have some! The alien wanted to know more, so he continued, "What is that stuff sticking up on the top of your **head**?" David replied, "That is called **hair.** It grows really fast, even after I cut it off, it just grows back out!! Adult humans have **hair** on other parts of their bodies; l**egs, arms, face,** even their **toes**!” “Why don’t you have **hair** on those parts?” asked the alien. David told him that he would not grow **hair** on those parts until he grows up. The alien was satisfied with David’s explanation of the human body parts and decided it was time to return home. David was sad to see him go, but so excited to tell his friends all about his encounter with such a curious alien.

ერთ დღეს უცხოპლანეტელი ავარიულად დაეშვა დედამიწაზე. ის იყო ძალიან დაბნეული და არ იცოდა სად აღმოჩნდა. ამ აღმოუჩენელი მსოფლიოს შესწავლისას ის შეხვდა პატარა ბიჭს რომელსაც დევიდი ერქვა. დევიდი იყო რვა წლის და საერთოდ არ შეშინებია. გარდა ამისა მან იცოდა უცხოპლანეტელების არსებობის შესახებ და გაუხარდა ერთერთის გაცნობა. უცხოპლანეტელს ჰქონდა დიდი **თავი** და წვეტიანი **ყურები** და ის უცნაურად გადაადგილდებოდა ექვსი **ფეხის** საშუალებით! უცხოპლანეტელი იმდენად დაიბნა ბიჭის დანახვისას,რომ შეეკითხა“ასე სასაცილოდ რატომ გამოიყურები?“დევიდმა გაიცინა და უთხრა რომ ყველა ადამიანი ასე გამოიყურებოდა. დევიდი კეთილი გულის პატრონი იყო და უნდოდა დარწმუნებულიყო უცხოპლანეტელს ყველაფერი გაეგო დედამიწაზე მცხოვრებ ადამიანების შესახებ,ამიტომაც მოუყვა თუ როგორ ვიყენებთ სხეულის ნაწილებს. “მოდი მოგიყვები ამ სასაცილო სხეულის ნაწილების შესახებ.“ უპასუხა დევიდმა.“ჩემი სხეულის ზედა ნაწილში ჩემი **თავია**; ჩვენ გვაქვს ორი **თვალი** მხედველობისათვის,ორი **ყური** სმენისათვის,**ცხვირი** ყნოსვისა და **პირი** საუბრისა და ჭამისათვის. უცხოპლანეტელი გაოგნდა რადგან მას ჰქონდა იგივე სხეულის ნაწილები მაგრამ სხვანაირად გამოიყურებოდა. “მაშინ,“თქვა უცხოპლანეტელმა, “რა არის ის რამ რაზეც დგახარ და რატომ მხოლოდ ორი?” დევიდმა უპასუხა “ეს **ფეხებია**. ჩვენ უბრალოდ ერთს ვდგავთ მეორეს წინ და ასე დავდივართ და

დავრბივართ.“ უცხოპლანეტელს გაუკვირდა რომ ადამიანებს მხოლოდ **ორი ფეხის** საშუალებით შეეძლოთ მოძრაობა,მას ექვსი **ფეხი** ჰქონდა და ყველა სჭირდებოდა მოძრაობისათვის. “და რა გაქვს ჩამოკიდებული ზედა **ფეხებზე**?“ შეეკითხა უცხოპლანეტელმა. “ესენი?ეს თითებია და მიმაგრებულია ჩემს **ხელებს**ა და **მკლავებზე**. შეხედე,ხომ კოხტაა? შემიძლია გავაქნიო, ვინმეს მოვუღიტინო,ძირიდან საგნების აღებაც კი შემიძლია მათი საშუალებით. ისინი ნამდვილად გამოსადეგია ბევრ რამეში. უცხოპლანეტელსაც მოუნდა ხელის თითები ჰქონდეს და შემდეგ გაიგო რომ **ფეხებზე ფეხის თითები**ა... მაგასაც უნდა ჰქონდეს ეგეთი! შემდგომ უცხოპლანეტელს უნდოდა მეტის გაგება,ასე რომ გააგრძელა “რა არის გამოშვერილი შენს **თავზე**?“ დევიდმა უპასუხა “ამას **თმას** უწოდებენ. ძალიან სწრაფად იზრდება,თუ შევიჭერი ისევ ამომივა! მოზრდილ ადამიანებს **თმა** აქვთ სხეულის სხვა ნაწილებზეც:**ფეხებზე,მკლავებზე,სახეზე** და **ფეხის თითებზეც** კი!“ “და შენ რატომ არ გაქვს **თმა** ამ ნაწილებზე?“ შეეკითხა უცხოპლანეტელმა. დევიდმა აუხსნა რომ **თმა** არ გაეზრდებოდა სანამ არ მომწიფდებოდა. უცხოპლანეტელი კმაყოფილი დარჩა დევიდის ახსნით ადამიანის სხეულის ნაწილების შესახებ და ჩათვალა რომ სახლში დაბრუნების დრო დადგა. დევიდმა მოიწყინა მისი წასვლის გამო მაგრამ აღელვებული იყო და უნდოდა თავისი მეგობრებისათვის მოეყოლა ამ უცნაურ უცხოპლანეტელთან მოულოდნელი შეხვედრის შესახებ.

Ert dgh**e**s **u**tskhoplaneteli **a**variulad d**a**eshva d**e**damitsaze. **I**s **i**kho dz**a**lian d**a**bneuli d**a** **a**r **i**tsoda s**a**d **a**ghmochnda. **A**m **a**ghmoucheneli ms**o**plios sh**e**stsavlisas **i**s sh**e**khvda p**a**tara b**i**chs r**o**melsats d**e**vidi **e**rqva. D**e**vidi **i**kho rv**a** tsl**i**s d**a** s**a**ertod **a**r sh**e**shinebia. G**a**rda **a**misa m**a**n **i**tsoda **u**tskhoplanetelebis **a**rsebobis sh**e**sakheb d**a** g**a**ukharda **e**rtertis g**a**tsnoba. **U**tskhoplanetels hq**o**nda d**i**di **tavi** d**a** tsv**e**tiani **khurebi** d**a** is **u**tsnaurad g**a**daadgildeboda **e**qvsi **pekhis** s**a**hualebit!

Utskhoplaneteli imdenad daibna bichis danakhvisas,rom sheekitkha: "Ase sasatsilod rato gamoikhurebi?" devidma gaitsina da utkhra rom khvela adamiani ase gamoikhureboda. Devidi ketili gulis patroni iko da undoda dartsmunebulikho utskhoplanetels khvelaperi gaego dedamitsaze mtskhoverb adamianebis shesakheb,amitomats moukhva tu rogor vikhenebt skheulis natsilebs "Modi mogikhvebi am sasatsilo skheulis natsilebis shesakheb." Upasukha Devidma. "Chemi skheulis zeda natslishi chemi tavia;chven gvaqvs ori tvali mkhedvelobisatvis,ori khuri smenisatvis,tskhviri khnosvisa da piri saubrisa da chamistvis." Utskhoplaneteli gaognda radgan mas hqonda igive skheulis natsilebi magram skhvanairad gamoikhureboda. "Mashin,"tqva utskhoplanetelma "Ra aris is ram razets dgakhar da ratoa mkholod ori?" Devidma upasukha "Es pekhebia. Chven ubralod erts vdgavt meores tsin da ase davdivart da davrbivart"utskhoplanetels gaukvirda rom adamianebs mkholod ori pekhis sashualebit sheedzlot modzraoba,mas eqvsi pekhi hqonda da khvela schirdeboda modzraobisatvis. "Da ra gaqvs chamokidebuli zeda pekhebze?" Sheekitkha utskhoplanetelma. "Eseni? es titebia da mimagrebulia chems khelsbsa da mklavebze. Shekhede khom kokhtaa? Shemidzlia gavaqnio,vinmes movughitino,dziridan sagnebis aghebats ki shemidzlia mati sashualebit. Isini namdvilad gamosadegia bevr rameshi." Utskhoplanetels mounda khelis titebi hqondes da shemdeg gaigo rom pekhebze pexis titebia... Magasats unda hqondes egeti!shemdgom utskhoplanetels undoda metis gageba,ase rom gaagrdzela "Ra aris gamoshverili shens tavze?" Devidma upasukha "Amas tmas utsodeben. Dzalian stsrapad izrdeba,tu shevicheri ,isev amomiva! Mozrdil adamianebs tma aqvt skheulis skhva natslilebzets:pekhebze,mklavebze,sakheze,da pekhis titebzets ki!" Da shen ratom ar gaqvs tma am natsilebze?" Sheekitkha utskhoplanetelma. Devidma aukhsna rom tma ar gaezrdeboda sanam ar momtsipdeboda. Utskhoplaneteli kmakhopili darcha Devidis akhsnit adamianis skheulis natsilebis shesakehb da chatvala rom misi sakhlshi dabrunebis dro dadga. Devidma moitskhina misi tsasvlis gamo magram aghelvebuli ikho da undoda misi megobrebisatvis moekhola am utsnaur utskhoplaneteltan moulodneli shekhvedris shesakheb.

5) Animals
5) ცხოველები
5) Tskhovelebi

alligator

ალიგატორი

Aligatori

---

anteater

ჭიანჭველიჭამია

Chianchvelchamia

---

antelope

ანტილოპა

Antilopa

Ape

მაიმუნი

Maimuni

---

armadillo

ჯავშნოსანი

Javshnosani

---

baboon

ბაბუინი

Babuini

---

bat

ღამურა

Ghamura

---

bear

დათვი

Datvi

---

beaver

თახვი

Takhvi

---

bison

ბიზონი

Bizoni

---

bobcat

ფოცხვერი

Potskhveri

---

camel

აქლემი

Aqlemi

---

caribou

ირემი

Iremi

---

cat

კატა

Kata

---

chameleon

ქამელეონი

Qameleoni

---

cheetaah

გეპარდი

Gepardi

---

chipmunk

ციყვი

Tsikhvi

---

cougar

პუმა

Puma

---

cow

ძროხა

Dzrokha

---

coyote

კოიოტი

Koioti

---

crocodile

ნიანგი

Niangi

deer

ირემი

Iremi

dinosaur

დინოზავრი

Dinozavri

dog

ძაღლი

Dzaghli

donkey

ვირი

Viri

elephant

სპილო

Spilo

emu

ემუ

Emu

ferret

ქრცვინი

*Qrtsv**i**ni*

---

fox

მელა

*M**e**la*

---

frog

ბაყაყი

*B**a**khakhi*

---

gerbil

ქვიშის თაგვი

*Qv**i**shis tagvi*

---

giraffe

ჟირაფი

*Jh**i**rapi*

---

goat

თხა

*Tkh**a***

---

gorilla

გორილა

*G**o**rila*

---

groundhog

ქოსმანი

Qosmani

Guinea pig

გუინეის ღორი

Guineis ghori

hamster

ზაზუნა

Zazuna

hedgehog

ზღარბი

Zgharbi

hippopotamus

ბეჰემოტი

Behemoti

horse

ცხენი

Tskheni

iguana

იგუანა

Iguana

kangaroo

კენგურუ

Kenguru

---

lemur

ლემური

Lemuri

---

leopard

ლეოპარდი

Leopardi

---

lion

ლომი

Lomi

---

lizard

ხვლიკი

Khvliki

---

llama

ლამა

Lama

---

meerkat

მანგუსტი

Mangusti

Mouse/mice

თაგვი/თაგვები

Tagvi/ tagvebi

---

mole

თხუნელა

Tkhunela

---

monkey

მაიმუნი

Maimuni

---

moose

ცხენ-ირემი

Tskhen-iremi

---

mouse

თაგვი

Tagvi

---

otter

წავი

Tsavi

---

panda

პანდა

Panda

---

panther

პუმა

Puma

pig

ღორი

Ghori

platypus

იხვის ცხვირა

Ikhvis tskhvira

Polar bear

პოლარული დათვი

Polaruli datvi

porcupine

მაჩვზღარბი

Machvzgharbi

rabbit

კურდღელი

Kurdgheli

raccoon

ენოტი

Enoti

rat

ვირთხა

Virtkha

---

rhinoceros

მარტორქა

Martorqa

---

sheep

ცხვარი

Tskhvari

---

skunk

სკუნსი

Skunsi

---

sloth

ზანტი

Zanti

---

snake

გველი

Gveli

---

squirrel

ციყვი

Tsikhvi

---

tiger

ვეფხვი

Vepkhvi

toad

გომბეშო

Gombesho

turtle

კუ

Ku

warlus

ლომვეშაპი

Lomveshapi

warthog

ტახი

Takhi

weasel

სინდიოფალა

Sindiopala

wolf

მგელი

Mgeli

zebra

ზებრა

*Z**e**bra*

Birds

ფრინველები

Prinvelebi

canary

კანარის ჩიტი

*Kanaris ch**i**ti*

---

chicken

წიწილა

*Ts**i**tsila*

---

crow

ყვავი

*Khv**a**vi*

---

dove

მტრედი

*Mtr**e**di*

---

duck

იხვი

***I**khvi*

---

eagle

არწივი

Artsivi

---

falcon

შევარდენი

Shevardeni

---

flamingo

ფლამინგო

Plamingo

---

goose

ბატი

Bati

---

hawk

ქორი

Qori

---

hummingbird

კოლიბრი

Kolibri

---

ostrich

სირაქლემა

Siraqlema

---

owl

ბუ

Bu

parrot

თუთიყუში

Tutikhushi

peacock

ფარშავანგი

Parshavangi

pelican

პელიკანი

Pelikani

pheasant

ხოხობი

Khokhobi

pigeon

(დედა) მტრედი

(Deda)mtredi

robin

ბუტბუტა

Butbuta

rooster

მამალი

Mamali

sparrow

ბეღურა

Beghura

swan

გედი

Gedi

turkey

ინდაური

Indauri

Water/Ocean/Beach
წყალი/ოკეანე/სანაპირო
Tskhali/okeane/sanapiro

bass

ქორჭილა

Qorchila

catfish

ზოლიანი თევზი

Zoliani tevzi

clam

მოლუსკი

Moluski

crab

კიბორჩხალა

Kiborchkhala

goldfish

ოქროსთევზი

Oqrostevzi

jellyfish

მედუზა

Meduza

lobster

ასთაკვი

Astakvi

muster

თევზების გუნდი

Tevzebis gundi

oyster

ხამანწკა

Khamantskha

salmon

ორაგული

Oraguli

---

shark

ზვიგენი

Zvigeni

---

trout

კალმახი

Kalmakhi

---

tuna

თინუსი

Tinusi

---

whale

ვეშაპი

Veshapi

Insects
მწერები
Mtserebi

ant

ჭიანჭველა

Chianchvela

---

bee

ფუტკარი

Putkari

---

beetle

ხოჭო

Khocho

---

butterfly

პეპელა

Pepela

---

cockroach

ტარაკანი

Tarakani

---

dragonfly

ნემსიყლაპია

Nemsikhlapia

---

earthworm

ჭიაყელა

Chiakhela

---

flea

რწყილი

Rtskhili

---

fly

ბუზი

*B**u**zi*

---

gnat

კოღო

*K**o**gho*

---

grasshopper

კუტკალია

*K**u**tkalia*

---

ladybug

ჭიამაია

*Ch**i**amaia*

---

moth

ჩრჩილი

*Chrch**i**li*

---

mosquito

კოღო

*K**o**gho*

---

spider

ობობა

***O**boba*

---

wasp

კრაზანა

Krazana

Related Verbs
დაკავშირებული ზმნები
Dakavshirebuli zmnebi

To eat

ჭამა

Chama

To bark

ყეფა

Khepa

---

to chase

გაკიდება

Gakideba

---

to feed

კვება

Kveba

---

to hibernate

დაზამთრება

Dazamtreba

---

to hunt

ნადირობა

Nadiroba

to move

მოძრაობა

Modzraoba

to perch

აცოცება

Atsotseba

to prey

ნადირობა

Nadiroba

to run

სირბილი

Sirbili

to swim

ცურვა

Tsurva

To wag

ქნევა

Qneva

to walk

 სიარული

Siaruli

Sarah is a seven year old girl who loves to visit the zoo. Her mom takes her to the local zoo at least once a week to see her favorite animals. This is an account of her usual visit to the zoo: When they arrive, they must pass by the **flamingos** and boy do they smell! They are pretty to look at, but don't get too close! Sarah insists that they visit her favorite animals first, the **elephants**. She loves how big, yet gentle they are. They spend time watching the **elephants** move about their habitat and one time, she even got to see an **elephant** paint! Next, they visit the Birds' Nest exhibit. They have many different species of **birds** on display, including **sparrows**, **robins**, **peacocks**, **canaries**, **hummingbirds**, they even have an **eagle**! The **eagle** is so majestic; it is Sarah's favorite **bird**. Sometimes the **eagle's** trainer will put on a show and Sarah just loves to see it spread its wings! After visiting the birds, Sarah likes to visit the mammal section of the zoo. They have **bears**, **tigers**, **lions**, **monkeys**, they even have **pandas**! One of the **pandas** had twin babies last year and Sarah has really enjoyed watching them grow up. After lunch, they visit the **reptile** house; there are lots of scaly looking animals there! The **alligators** are big and scary, but Sarah likes to watch from a distance. They also have **frogs** in lots of different colors; some are green, some are yellow and black, and some are blue! The best animals in the **reptile** house are the **snakes**. Some are stretched out long and some are coiled up taking a nap! They come in many different colors as well. Did you know that **snakes** eat **mice**? Sarah once got to see a **snake** eat its lunch, it was a little yucky to watch, but neat to see how a **snake** eats. After visiting the **reptiles**, Sarah and her mom go to see the **meerkats** and **warthogs**. They always make Sarah think of her favorite movie characters. The **meerkats** are silly little creatures and the **warthogs** just lay around in the mud all day! Sarah then goes to visit the tallest animal in the zoo, the

giraffe. One day she even got to feed one! Its mouth is very weird to touch and it has a long tongue. One of the more popular sites at the zoo is the petting zoo. Sarah gets to brush the coat of **goats**, **sheep**, and even **pigs**! One last stop, to ride the train. While on the zoo train, Sarah gets to see lots of different animals, such as **kangaroos**, **ostriches**, **turtles**, and many more! Maybe one day, Sarah's mom can talk her into going to the aquarium instead of the zoo. Sarah would surely enjoy seeing **sharks**, **whales**, and **jellyfish**!

სარა შვიდი წლის გოგონაა, რომელსაც უყვარს ზოოპარკში სიარული. ის დედამის დაჰყავს ადგილობრივ ზოოპარკში კვირაში მინიმუმ ერთხელ, რომ მისი საყვარელი ცხოველები ნახოს. ეს არის მათი ჩვეული მარშრუტი ზოოპარკში: ისინი უნდა გაცდნენ **ფლამინგოებს** და რა სუნი ასდით! ვიზუალურად სასიამოვნოები არიან მაგრამ არ უნდა მიუახლოვდე! სარა დაჟინებით ითხოვს რომ ჯერ მისი საყვარელი ცხოველები მოინახულონ,**სპილოები**. მას მოსწონს რამდენად დიდები და ამავედროულად გულკეთილები არიან ისინი. ისინი დროს ატარებენ **სპილოების** თავიანთ გალიებში გადაადგილების ყურებაში და ერთხელ ის **სპილოების** ხატვას დაესწრო! შემდეგ ისინი ნახულობენ „ჩიტების ბუდის" გამოფენას. მათ გააჩნიათ ბევრი სახეობის **ჩიტები**,მათ შორის **ბეღურები,ბუტბუტები,ფარშევანგრბი,კანარის ჩიტები,კოლიბრი** და **არწივიც** ! **არწივი** ძალიან დიდებულია; ეს სარას საყვარელი **ფრინველია. არწივის** მწვრთნელი ზოგჯერ ჩვენებას ატარებს და სარას მოსწონს როცა არწივი ფრთებს შლის! ფრინველების დათვალიერების შემდეგ სარას უყვარს ძუძუმწოვრების სექციის ნახვა ზოოპარკში. მათ ჰყავთ **დათვები,ვეფხვები,ლომები,მაიმუნები,პანდებიც** კი ჰყავთ! ერთ-ერთ **პანდას** ტყუპები ეყოლა შარშან და სარას უყვარს მათი ზრდის დაკვირვება. ლანჩის შემდეგ ისინი სტუმრობენ **ქვეწარმავალთა** სახლს. მანდ ბევრი ქერცლოვანი ცხოველია!

ალიგატორები დიდი და შემზარავია,მაგრამ სარას უყვარს მათი ყურება. იქ არიან სხვადასხვა ფერის **ბაყაყები**;ზოგი მწვანეა,ზოგი ყვითელი და შავია,ზოგი კი ლურჯია! საუკეთესო ცხოველები **ქვეწარმავალთა** შორის **გველებია**. ზოგი გაწელილია ზოგი კი დახვეულია და სძინავთ. იმათაც გააჩნიათ დიდი ფერთა გამა. იცოდით რომ **გველები თაგვებს** ჭამდნენ? ერთხელ სარა დაესწრო **გველის** ლანჩის მიღებას,ცოტა საზიზღარი საყურებელი იყო მაგრამ გველი ძალიან მარდად ჭამდა. ქვეწარმავლების ნახვის შემდეგ სარა და დედამისი **მანგუსტების** და **ტახების** სანახავად მიდიან. ისინი ყოველთვის ახსენებენ მის საყვარელ მულტფილმის გმირებს. **მანგუსტები** სულელი პატარა არსებებია ხოლო **ტახები** მთელი დღე ტალახში წვანან! შემდეგ სარა მიდის ყველაზე მაღალი ცხოველის სანახავად- **ჟირაფის.** ერთხელ თვითონ აჭამა კიდევაც. შეხებით ძალიან უცნაური პირი აქვს და გრძელი ენა. ერთ-ერთი ყველაზე პოპულარული ადგილი ზოოპარკში არის ცხოველთა მოვლის ზოოპარკი. სარა ხშირად ზეწვს უვარცხნის **თხებს, ცხვრებსა** და **ღორებსაც** კი!ბოლო გაჩერება-მატარებლით გაგმზავრებაა. სანამ მატარებლით მგზავრობს სარა კიდე ბევრი სახიობის ცხოველს ნახულობს,მაგალითად **კენგურუს,სირაქლემას,კუებს** და მრავალ სხვას. შეიძლება ერთ დღეს დედამ აიყოლიოს სარა აკვარიუმში წასვლაზე ზოოპარკის ნაცვლად. სარას ნამდვილად მოეწონება **ზვიგენების,ვეშაპებისა** და **მედუზების** ნახვა.

S**a**ra shv**i**di tsl**i**s g**o**gonaa r**o**melsats **u**khvars z**o**oparkshi s**i**aruli. **I**s d**e**damis d**a**hkhavs **a**dgilobriv z**o**oparkshi kv**i**rashi m**i**nimum **e**rtkhel r**o**m m**i**si s**a**khvareli tskh**o**velebi n**a**khos. **E**s **a**ris m**a**ti chv**e**uli m**a**rshruti z**o**oparkshi:**i**sini **u**nda g**a**cdnen **plamingoebs**-d**a** r**a** s**u**ni **a**sdit! V**i**zualurad s**a**siamovnoebi **a**rian m**a**gram **a**r **u**nda m**i**uakhlovde! S**a**ra d**a**jhinebit **i**tkhovs r**o**m j**e**r m**i**si s**a**khvareli tskh**o**velebi m**o**inakhulon,**spiloebi.** M**a**s m**o**stsons r**a**mdenad d**i**debi d**a** **a**mavedroulad g**u**lketilebi **a**rian **i**sini. **I**sini dr**o**s **a**tareben

spiloebis taviant galiebshi gadaadgilebis khurebashi da ertkhel **is spiloebis** khatvas daestsro! Shemdeg isini nakhuloben"chitebis budis" gamopenas. Mat gaachniat bevri sakheobis **chitebi**,mat shoris **beghurebi,butbutebi,parshavangebi,kanaris chitebi,kolibri** da **artsivits!artsivi** dzalian didebulia;es Saras sakhvareli **prinvelia**. Artsivis mtsvrtneli zogjer chvenebas atarebs da saras mostsons rotsa **artsivi** prtebs shlis. Prinvelebis datvalierebis shemdeg Saras uyvars dzudzumtsivrebis seqtsiis nakhva zooparkshi. Mat hkhavt **datvebi,vepkhvebi,lomebi,maimunebi,pandebits** ki hkhavt! Ert-ert **pandas** tkhupebi ekhola sharshan da Saras ukhvarda mati zrdis dakvirveba. Lanchis shemdeg isini stumroben **qvetsarmavalta** sakhls. Mand bevri qertslovani tskhovelia! Aligatorebi didi da shemzaravia,magram Saras ukhvars mati khureba. Ik arian skhvadaskhva peris **bakhakhebi**;zogi mtsvanea,zogi khviteli da shavia,zogi ki lurjia! Sauketeso tskhovelebi **qvetsarmavalta** shoris **gvelebia**. Zogi gatselilia zogi ki dakhveulia da sdzinavt. Imatats gaachniat didi perta gama. Itsodit rom **gvelebi tagvebs** chamdnen? Ertkhel Sara daestro **gvelis** lanchis mighebas,tsota sazizghari sakhurebeli ikho magram **gveli** dzalian mardad chamda. Qvetsarmavlebis nakhvis shemdeg Sara da dedamisi **mangustebis** da **takhebis** sanakhavad midian. Isini khoveltvis akhseneben mis sakhvarel multpilmis gmirebs. **Mangustebi** suleli patara arsebebia kholo **takhebi** mteli dghe talakhshi tsvanan! Shemdeg Sara midis khvelaze maghali tskhovelis sanakhavad-**jhirapis**. Ertkhel tviton achama kidevats. Shekhebit dzalian utsnauri piri aqvt da grdzeli ena. Ert –erti khvelaze popularuli adgili zooparkshi aris tskhovelta movlis zooparki. Sara khshirad betsvs uvartskhnis **tkhebs,tskhvrebsa** da **ghorebsats** ki! Bolo gachereba-matareblit gamgzavrebaa. Sanam matareblit mgzavrobs Sara kide bevri sakheobis tskhovels nakhulobs,magalitad **kengurus,siraqlemas,kuebs** da mraval skhvas. Sheidzleba ert dghes deda aikholios Sara akvariumshi tsasvlaze zooparkis natsvlad. Saras namdvilad moetsoneba **zvigenebis,veshapebisa** da **meduzebis** nakhva.

6) Plants and Trees

6) მცენარეები და ხეები

6) Mtsenareebi da kheebi

acacia

აკაცია

Akatsia

acorn

რკო

Rko

annual

ერთწლოვანი მცენარე

Erttslovani mtsenare

bamboo

ბამბუკი

Bambuki

bark

ქერქი

Qerqi

bean

ლობიოს მარცვალი

Lobios martsvali

berry

კენკრა

kenkra

blossom

აყვავება

Akhvaveba

branch

ტოტი

Toti

brush

დაბალი ბუჩქი

Dabali buchqi

bud

კოკორი

Kokori

bulb

ბოლქვი

Bolqvi

bush

ბუჩქი

Buchqi

cabbage

კომბოსტო

Kombosto

cactus

კაქტუსი

Kaqtusi

carnation

წითელი მიხაკი

Tsiteli mikhaki

cedar

კედარი

Kedari

corn

ხორბლეული

Khorbleuli

deciduous

ფოთლოვანი

Potlovani

dogwood

შვინდი

Shvindi

eucalyptus

ევკალიპტი

Evkalipti

---

evergreen

მარადმწვანე მცენარე

Maradmtsvane mtsenare

---

fern

გვიმრა

Gvimra

---

fertilizer

სასუქი

Sasuqi

---

fir

ნაძვი

Nadzvi

---

flower

ყვავილი

Khvavili

---

foliage

ფოთლებიანი

Potlebiani

---

forest

ტყე

Tkhe

fruit

ხილი

Khili

garden

ბაღი

Baghi

ginko

გინკო

Ginko

grain

მარცვლეული

Martsvleuli

grass

ბალახი

Balakhi

hay

თივა

Tiva

herb

მცენარე (სამკურნალო)

Mtsenare (samkurnalo)

---

hickory

ჰიკორი

Hikori

---

ivy

სურო

Suro

---

juniper

ღვია

Ghvia

Leaf/leaves

ფოთოლი/ ფოთლები

Potoli/ potlebi

---

lettuce

სალათა

Salata

---

lily

შროშანი

Shroshani

---

magnolia

მაგნოლია

Magnolia

Maple tree

ნაკერჩხლის ხე

Nakerchkhlis khe

moss

ხავსი

Khavsi

nut

კაკალი

Kakali

oak

მუხა

Mukha

Palm tree

პალმა

Palma

pine cone

ფიჭვის გირჩა

Pichvis gircha

pine tree

ფიჭვი

Pichvi

---

plant

მცენარე

Mtsenare

Peach tree

ატმის ხე

Atmis khe

Pear tree

მსხლის ხე

Mskhlis khe

---

petal

ყვავილის ფურცელი

Khvavilis purtseli

---

poison ivy

შხამიანი სურო

Shkhamiani suro

---

pollen

ყვავილის მტვერი

Khvavilis mtveri

---

pumpkin

გოგრა

Gogra

root

ფესვი

Pesvi

roses

ვარდები

Vardebi

sage

შალფეი

Shalpei

sap

მცენარის წვენი

Mtsenaris tsveni

seed

თესლი

Tesli

shrub

ბუჩქი

Buchqi

squash

ყაბაყი

Khabakhi

soil

ნიადაგი

Niadagi

stem

ყუნწი

Khuntsi

thorn

ეკალი

Ekali

tree

ხე

Khe

trunk

ღერო

Ghero

vegetable

ბოსტნეული

Bostneuli

vine

ვაზი

Vazi

weed

სარეველა

Sarevela

Related Verbs
დაკავშირებული ზმნები
Dakavshirebuli zmnebi

to fertilize

გაპატივება

Gapativeba

to gather

მოსავლის აღება

Mosavlis agheba

to grow

ზრდა

Zrda

to harvest

მოსავლის აღება

Mosavlis agheba

to pick

ალება

***A**gheba*

---

to plant

დარგვა

*D**a**rgva*

---

to plow

ხვნა

*Khvn**a***

---

to rake

ფოცხით მოხვეტა

*P**o**tskhis m**o**khveta*

To spray

მოსხურება

*M**o**skhureba*

---

to sow

თესვა

*T**e**sva*

---

to water

მორწყვა

*M**o**rtskhva*

---

to weed

გამარგვლა
Gamargvla

Farmer Smith was a kind old man. He ran the local farm and orchard. One day, while out harvesting **corn**, a bird hobbled over and sat down beside him. Farmer Smith noticed the poor little bird had a broken wing, so he gathered up his supplies and cradled the bird in one of his baskets. The bird could not fly and was helpless, so Farmer Smith decided to nurse the bird back to good health. He used a small piece of **bark** to bandage the broken wing. Every day Farmer Smith would take the bird for a walk and they would rest against the **trunk** of an old **oak tree** at the edge of the property. The farmer loved to tell the bird all about the different **plants** on his farm. He told of the **pine trees** that lined his property. These **trees** were perfect Christmas **trees**. He told of the **flowers** that grew wild near the lake, he explained how they started as a seed, and then grew into a bulb, then eventually into a beautiful **flower**. They were so colorful and vibrant; they remind the farmer of his wife. He would bring her **roses** every day for her to use on the dinner table. His wife was a wonderful cook, she could cook anything that the farmer grew; **squash, pumpkin, pears, apples, cabbage,** and many more. The way she used the **herbs** was like magic! The little bird loved to hear the stories about the farmer's wife, just hearing about her brought the bird comfort. One day, while the farmer was out **tilling** the **soil,** he heard a small sound approaching him; he turned around to see it was the little bird he had been caring for. She had learned to fly again! The farmer decided it was time for the bird to go live in the **forest** again. She was strong enough and prepared to survive on her own. It was a sad day, but the farmer took the bird into the **deciduous forest** and released her. One day, in early spring the farmer noticed a bird on his window sill. He couldn't believe his eyes, it was the same bird. He was so pleased to see the bird again, for it reminded him of his wife. Now, every spring, the bird comes to visit the farmer. He and the bird go to that old **oak tree** and Farmer Smith tells a new story about his wife. I don't know whatever happened to that bird, but it visited the farmer every year until the farmer passed away. It even visited his windowsill at the hospital the year before he died. No one has ever seen it happen, but I know that the bird brings a single **rose** to Farmer Brown's resting site. Some may see the bird as a small, helpless creature, but for Farmer Smith, the bird helped to fill a void for his remaining years.

მეურნე სმიტი იყო კეთილი მოხუცი კაცი. ის უვლიდა ფერმასა და ხილის ბაღს.ერთ დღეს **სიმინდის** მოსავლის მოსაკრეფად რომ იყო გასული,კოჭლობით მოფრინდა ჩიტი და დაეშვა მის გვერდით. მეურნე სმიტმა შეამჩნია საწყალ ჩიტს ფრთა ჰქონდა მოტეხილი,ასე რომ მან მოკრიბა თავისი მარაგები და ფრთხილად მოათავსა ჩიტი კალათაში. ჩიტი ვეღარ დაფრინავდა და ძალიან უმწეო იყო,ამიტომაც ფერმერმა სმიტმა გადაწყვიტა მოუაროს ჩიტს სანამ კარგად გახდებოდა. მან გამოიყენა **ხის ქერქის** პატარა ნატეხი მოტეხილი ფრთის დასაფიქსირებლად. მეურნე სმიტს ჩიტი ყოველდღე გაყავდა სასეირნოდ და ერთად ისვენებდნენ **მუხის ღეროსთან** მისი საკუთრების პირას. მეურნეს უყვარდა ჩიტისთვის თავის ფერმაში სხვადასხვა **მცენარეების** შესახებ მოყოლა. მან მოუყვა **ფიჭვის ხეებზე** რომლებიც ჩამწკრივებული იყო მისი საკუთრების გასწვრივ. ეს **ხეები** იყო საუკეთესო ნაძვის **ხეები**. მოუყვა **ყვავილებზე** რომლებიც ველურად იზრდებოდა ტბასთან ახლოს,აუხსნა თუ როგორ წარმოიშვნენ თესლიდან და შემდეგ ბოლქვად იქცნენ და საბოლოოდ ლამაზ **ყვავილად.** ისეთი ფერადი და მთრთოლნი იყვნენ,მეურნეს თავის ცოლს ახსენებდნენ. მას ყოველდღე მოჰქონდა ვარდები მისთვის სუფრის მოსართავად. მისი ცოლი შესანიშნავი მზარეული იყო,მას ყველაფრის მომზადება შეეძლო რაც კი ფერმაში იზრდებოდა:**ყაბაყის,გოგრის,მსხლის,ვაშლის,კომბოსტოსა** და

მრავალი სხვა. **მწვანილს** ჯადოსნურად იყენებდა! პატარა ჩიტს მოსწონდა მეურნის ცოლის შესახებ ისტორიების მოსმენა,მხოლოდ ერთი გაგონებით მის შესახებ ჩითი კომფორტულად გრძნობდა თავს. ერთ დღეს როცა მეურნე **მიწას ამუშავებდა**,მან გაიგონა წვრილი ხმა რომელიც უახლოვდებოდა. რო მობრუნდა დაინახა ჩიტი რომელსაც უვლიდა. ისევ ფრენა შეეძლო! მეურნემ გადაწყვიტა რომ მისთვის **ტყეში** დაბრუნების დრო დადგა. უკვე საკმარისად მოძლიერებული იყო და შეეძლო თავისით გადარჩენა. **მოსაწყენი** დღე იყო მაგრამ ფერმერმა წაიყვანა ჩიტი **ფოთლოვან ტყეში** და გაუშვა. ერთ გაზაფხულის დილას მეურნემ შეამჩნია ჩიტი თავის ფანჯრის რაფაზე. თავის თვალებს ვერ უჯერებდა-იგივე ჩიტი იყო.მას ძალიან გაუხარდა ჩიტის ნახვა რადგან მის ცოლს ახსენებდა. ახლა,ყოველ გაზაფხულზე,ჩიტი მოფრინავს ფერმერის სანახავად. ის ჩიტთან ერთად მიდის იმ ძველ **მუხის ხესთან** და უყვება ახალ ისტორიას ცოლის შესახებ. არ ვიცი სადაა ეს ჩიტი ახლა მაგრამ ყოველ გაზაფხულზე ის ნახულობდა ფერმერს სანამ ის გარდაიცვლებოდა. ის ნახულობდა ფერმერს მის ფანჯრის რაფაზე საავადმყოფოშიც,გარდაცვალებამდე ერთი წლით ადრე. არავის უნახავს,მაგრამ მე ვიცი რომ ჩიტს მოაქვს თითო **ვარდი** მეურნე სმიტის საფლავზე. ზოგი თვლის რომ ჩიტი პატარა უმწეო არსებაა მაგრამ მეურნე სმიტს მან ცხოვრების სიცარიელე შეუვსო სიცოცხლის ბოლო დღეებამდე.

M**e**urne Sm**i**ti **i**kho k**e**tili m**o**khutsi k**a**tsi. **Is** **u**vlida p**e**rmasa d**a** kh**i**lis b**a**ghs. **E**rt dgh**e**s **simindis** m**o**savlis m**o**sakrepad r**o**m **i**kho g**a**suli, k**o**chlobit m**o**prinda ch**i**ti d**a** d**a**eshva m**i**s gv**e**rdit. M**e**urne Sm**i**tma sh**e**amchnia r**o**m ch**i**ts prt**a** hq**o**nda m**o**tekhili,**a**se r**o**m m**a**n m**o**kriba t**a**visi m**a**ragebi d**a** prtkh**i**lad m**o**atavsa ch**i**ti k**a**latashi. Ch**i**ti v**e**ghar d**a**prinavda d**a** dz**a**lian **u**mtseo **i**kho,**a**mitomats p**e**rmerma Sm**i**tma g**a**datskhvita m**o**uaros ch**i**ts s**a**nam k**a**rgad g**a**khdeboda. M**a**n g**a**moikhena **khis qerqis** p**a**tara n**a**tekhi m**o**tekhili prt**i**s dasapiqsireblad. Meurne Smits chiti khoveldghe gakhavda saseirnod da ertad isvenebdnen **mukhis gherostan** misi sakutrebis piras. Meurnes ukvarda chitistvis tavis permashi skhvadaskhva **mtsenareebis** shesakheb mokhola. Man moukhva **pichvis kheebze** romelits chamtskrivebuli ikho misi sakutrebis gastsvriv. Es **kheebi** ikho sauketeso nadzvis **kheebi.** Moukhva **khvavilebze** romlebits velurad izrdeboda tbastan akhlos,aukhsna tu rogor tsarmoishvnen teslidan da shemdeg bolqvad iqtsnen da sabolood lamaz khvavilad. Iseti peradi da mtrtolni ikhvnen,meurnes tavis tsols akhsenebdnen. Mas khoveldghe mohqonda vardebi mistvis supris mosartavad. Misi tsoli shesanishnavi mzareuli ikho,mas khvelapris momzadeba sheedzlo rac ki permashi izrdeboda:**khabakhis,gogris,mskhlis,vashlis,kombostosa** da mravali skhva. **Mtsvanils** jadosnurad ikhenebda! Patara chits mostsonda meurnis tsolis shesakheb istoriebis mosmena,mkholod gagonebit mis shesakheb chiti komportulad grdznobda tavs. Ert dghes rotsa meurne **mitsas amushavebda,**man gaigona tsvrili khma romelits uakhlovdeboda. Ro mobrunda dainakha chiti romelsats uvlida. Isev prena sheedzlo! Meurnem gadatskhvita rom mistvis **tkheshi** dabrunebis dro dadga. Ukve sakmarisad modzlierebuli ikho da sheedzlo tavisit gadarchena. **Mosatskheni** dghe ikho magram permerma tsaikhvana chiti **potlovan tkheshi** da gaushva. Ert gazapkhulis dilas meurnem sheamchnia chiti tavis panjris rapaze. Ttavis tvalebs ver ujerebda-igive chiti ikho. Mas dzalian gaukharda chitis nakhva radgan mis tsols akhsenebda. Akhla,khovel gazapkhulze,chiti moprinavs permeris sanakhavad. Is chittan ertad midis im dzvel **mukhis khestan** da ukhveba akhal istorias tsolis shesakheb. Ar vitsi sadaa es chiti akhla magram khovel gazapkhulze is nakhulobda permers sanam is gardaitsvleboda. Is nakhulobda permers mis panjris rapaze saavadmkhoposhits,gardatsvalebamdde erti tslit adre. Aravis unakhavs magram me vitsi rom chits moaqvs tito **vardi** meurne smitis saplavze. Zogi tvlis rom chiti patara umtseo arsebaa magram meurne Smits man ckhovrebis sitsariele sheuvso sitsoskhlis bolo dgheebamde.

7) Meeting Each Other
7) შეხვედრა
7) Shekhvedra

Greetings/Introductions:

მისალმება/წარდგენა

Misalmeba/Tsardgena

Good morning

დილა მშვიდობისა

Dila mshvidobisa

Good afternoon

დღე მშვიდობისა

Ddghe mshvidobisa

Good evening

საღამო მშვიდობისა

Saghamo mshvidobisa

Good night

ღამე მშვიდობისა

Ghame mshvidobisa

Hi

გამარჯობა

Gamarjoba

Hello

გამარჯობა

Gamarjoba

Have you met (name)?

იცნობთ (სახელი)?

Itsnobt(sakheli)?

Haven't we met (name)?

ხომ არ ვიცნობთ(სახელი)?

Khom ar vitsnobt(sakheli)?

How are you?

როგორ ხარ(თ)?

Rogor khar(t)?

How are you today?

როგორ ხარ(თ) დღეს?

Rogor khar(t) dghes?

How do you do?

გამარჯობათ!

Gamarjobat!

How's it going?

რავახარ?

Ravakhar?

I am (name).

მე ვარ (სახელი)

Me var (sakheli)

I don't think we have met

არამგონია ვიცნობდეთ ერთმანეთს

Aramgonia vitsnobdet ertmanets

It's nice to meet you.

სასიამოვნოა თქვენი გაცნობა

Sasiamovnoa tqveni gatsnoba

Meet (name).

გაიცანით (სახელი)

Gaitsanit (sakheli)

My friends call me (nickname).

მეგობრები მეძახიან (ზედმეტსახელი)

Megobrebi medzakian (zedmetsakheli)

My name is (name).

მე მქვია (სახელი)

Me mqvia (sakheli)

Nice to meet you

სასიამოვნოა თქვენი გაცნობა

Sasiamovoa tqveni gatsnoba

Nice to see you again.

სასიამოვნოა თქვენი ნახვა

Sasiamovoa tqveni nakhva

Pleased to meet you.

სასიამოვნოა თქვენი გაცნობა

Sasiamovoa tqveni gatsnoba

This is (name)

ეს არის (სახელი)

Es aris (sakheli)

What's your name?

რა გქვია(თ)?

Ra gqvia(t)?

Who are you?

ვინ ხარ(თ)?

Vin khar(t)?

Greeting Answers
მისალმებაზე პასუხები
Misalmebaze pasukhebi

Fine, thanks.

კარგად,მადლობა(გმადლობთ)

Kargad,madloba(gmadlobt)

I'm exhausted

გადაღლილი ვარ

Gadaghlili var

I'm okay.

კარგად ვარ

Kargad var

I'm sick.

ცუდად ვარ

Tsudad var

I'm tired.

დაღლილი ვარ

Daghlili var

Not too bad.

არამიშავს

Aramishavs

Not well,actually

არც ისე,სიმართლე რომ გითხრა

Arts ise,simartle rom gitkhra

Very well.

ძალიან კარგად

Dzalian kargad

Saying Goodbye
დამშვიდობება
Damshvidobeba

Bye

კარგად!

Kargad!

Goodbye

ნახვამდის

Nakhvamdis

Good night

ღამე მშვიდობისა

Ghame mshvidobisa

See you later

გნახავ(თ)

Gnakhav(t)

See you next week

მომავალ კვირამდე

Momaval kviramde

See you soon

მომავალ შეხვედრამდე

Momaval shekhvedramde

See you tomorrow

ხვალამდე

Khvalamde

Courtesy
თავაზიანობა
Tavazianoba

Excuse me

უკაცრავად

Ukatsravad

Pardon me

მაპატიეთ

Mapatiet

I'm sorry

ბოდიშს გიხდით

Bodishs gikhdit

Thanks

მადლობა (გმადლობთ)

Madloba (gmadlobt)

Thank you

მადლობა (გმადლობთ)

Madloba (gmadlobt)

You're welcome

არაფრის

Arapris

Special Greetings
განსაკუთრებული მისალმება
Gansakutrebuli misalmeba

Congratulations

გილოცავთ

Gilotsavt

Get well soon

გამოჯანმრთელებას გისურვებ(თ)

Gamojanmrtelebas gisurveb(t)

Good luck

წარმატებები

Tsarmatebebi

Happy New Year

გილოცავთ ახალ წელს

Gilotsavt akhal tsels

Happy Easter

გილოცავთ აღდგომას

Gilotsavt aghdgomas

Merry Christmas

გილოცავთ შობას

Gilotsavt shobas

Well done

კეთილი

Ketili

Related Verbs
დაკავშირებული ზმნები
Dakavshirebuli zmnebi

to greet

მისალმება

Misalmeba

---

to meet

შეხვედრა/გაცნობა

Shekhvedra/gatsnoba

---

to say

თქმა

Tqma

---

to shake hands

ხელის ჩამორთმევა

Khelis chamortmeva

---

to talk

საუბარი

Saubari

---

to thank

მადლობის თქმა

Madlobis tkma

This is the story of a man named Pop. He just started a new job as a greeter at the local discount store. His son was so proud, he gave him a card that said, "**Congratulations**". He is a little nervous because he has never been a store greeter before. Throughout the day, there are so many customers going in and out of the store, sometimes Pop forgets what he should say. "**Pleased to meet you**" or "**Can I help you out?**" are good options for being polite. His manager assured him, saying, "You will be just fine, so don't worry." He begins the work day with a smile on his face, but by the end of the day, his smile is erased. "**Good morning,**" he says with a smile to the nice lady walking down the produce aisle. "**How are you doing?**" asked Pop, but she must not have heard him, because she didn't stop to say **hello**. "Hmm", said Pop, I guess she didn't hear me because a polite person would have said something like, '**Fine, how are you?**' or '**I'm fine, thank you.**' Next there was man with a bushy white beard, he looked very friendly and kind. Pop greeted him politely and said, "**Happy New Year!**" The man just grunted and went on his way, I guess he wasn't friendly after all. Pop replied, "**Have a good day!**" The next several customers were polite and spoke to him. Some of the customers said, "**How do you do?**" and one said, "**My name is Jim. What is your name?**" As the day went on, Pop got really tired and his **greetings** were not seeming as effective as earlier in the day. His manager was upset, but gave him another chance. He warned Pop that just saying "**Hi**" or "**Hello**" wasn't enough for the friendly environment our customers are used to. "If you want to make a good impression, you have to be polite. You can say something like, '**Merry Christmas**' or '**Good day to you, sir'**, but please be nice to everyone you meet. Finally, as the end of the day was nearing, Pop was very happy to finally be able to say, "**Good night**." He went home without his smile, but said tomorrow is a new day and I will make sure to smile for everyone.

ეს არის ამბავი კაცის შესახებ რომელსაც პოპი ერქვა. მან ცოტახნისწინ დაიწყო მუშაობა კონსიერჟად ადგილობრივ საზითუმო მაღაზიაში. მისი შვილი ძალიან ამაყობდა მამამისით და აჩუქა ბარატი წარწერით **„გილოცავ"**. ის ცოტა ნერვიულობს რადგან აქამდე კონსიერჟად არ უმუშავია. დღის განმავლობაში იმდენი კლიენტი შედის და გამოდის მაღაზიიდან რომ პოპს ზოგჯერ ავიწყდება რა უნდა თქვას.**"სასიამოვნოა თქვენი გაცნობა"** და **„რით შემიძლია დაგეხმაროთ?"**კარგი ხერხია რომ ზრდილობიანი იყო. უფროსმა დაარწმუნა"კარგად იქნები,ნუ გეშინია". ის იწყებს მუშაობას ღიმილით,მაგრამ დღის ბოლოს ღიმილი წაშლილი **აქვს. "დილა მშვიდობისა"**ის ღიმილით ეუბნება სასიამოვნო ქალს სასურსათო შესასვლელთან. **"როგორ ხართ?"** შეეკითხა პოპმა მაგრამ ქალმა ეტყობა ვერ გაიგონა და არც გაჩერებულა **გამარჯობის** სათქმელად. "ჰმ"თქვა პოპმა "ალბათ ვერ გაიგონა რადგან ზრდილობიან ადამიანს უნდა ეთქვა რამე **„კარგად,და თქვენ**?"ან **„კარგად,გმადლობთ"**-ს მაგვარი". შემდეგი იყო კაცი თეთრი ხშირი წვერით,ძალიან მეგობრულად და კეთილად გამოიყურებოდა. პოპი ზრდილობიანად მიესალმა და თქვა**"გილოცავთ ახალ წელს**!" კაცმა ჩაიბუზღუნა და გააგრძელა გზა,ალბათ არ იყო მეგობრული. პოპმა უპასუხა**"კარგ დღეს გისურვებთ!** "შემდეგი რამოდენიმე კლიენტი ზრდილობიანი აღმოჩნდა და დაელაპარაკა.ერთერთმა უთხრა"**გამარჯობათ**"და მეორემ "**მე ჯიმი მქვია. თქვენ რა გქვიათ?"** დღის ბოლოსაკენ პოპი დაიღალა და მისი **მისალმებები** უკვე აღარ იყო ისეთივე ეფექტური

როგორც დილას. უფროსი გაბრაზდა მაგრამ მეორე შანსი მისცა. მან გააფრთხილა რომ უბრალო **„გამარჯობა“**არ იყო საკმარისი იმ მეგობრული გარემოსათვის რომელსაც კლიენტები მიჩვეულნი იყვნენ. “თუ გინდა კარგი შთაბეჭდილება მოახდინო უნდა იყო ზრდილობიანი. შენ შეგიძლია თქვა რამე**“გილოცავთ შობას“**ან **„კარგ დღეს გისურვებთ,ბატონო“** -ს მსგავსი,მაგრამ გთხოვ ყველას ზრდილობიანად მოექეცი ვინც შეგხვდეება. ბოლოს,დღე რომ სრულდებოდა,პოპი ძალიან მოხარული იყო რომ შეეძლო**“ღამე მშვიდობისა“**-ს თქმა. სახლში წავიდა ღიმილის გარეშე,მაგრამ თავის თავს უთხრა რომ ხვალ ახალი დღე იქნებოდა და აუცილებლად ყველას უნდა გაუღიმოს.

Es **a**ris **a**mbavi k**a**tsis sh**e**sakheb r**o**melsats P**o**pi **e**rqva. M**a**n ts**o**takhnistsin d**a**itskho m**u**shaoba k**o**nsierjhad **a**dgilobriv s**a**bitumo m**a**ghaziashi. M**i**si shv**i**li dz**a**lain **a**makhobda m**a**mamisit d**a** ach**u**qa b**a**rati ts**a**rtserit **”gilotsav”. I**s ts**o**ta n**e**rviulobs r**a**dgan **a**qamde k**o**nsierjhad **a**r **u**mushavia. Dgh**i**s g**a**nmavlobashi **i**mdeni kl**i**enti sh**e**dis d**a** g**a**modis m**a**ghaziidan r**o**m P**o**ps z**o**gjher **a**vitskhdeba r**a** **u**nda tqv**a**s. **”Sasiamovnoa tqveni gatsnoba”** d**a** **“Rit shemizlia dagekhmarot?”** k**a**rgi kh**e**rkhia zrd**i**lobiani r**o**m **i**kho. **U**prosma d**a**artsmuna “K**a**rgad **i**qnebi, n**u** g**e**shinia”. **I**s **i**tskhebs m**u**shaobas gh**i**milit,m**a**gram dgh**i**s b**o**l**o**s gh**i**mili ts**a**shlili **a**qvs.” **Dila mshvidobisa”** **i**s gh**i**milit **e**ubneba s**a**siamovno q**a**ls s**a**sursato sh**e**sasvleltan. **”Rogor khart?”**sh**e**ekitkha P**o**pma m**a**gram q**a**lma **et**khoba v**e**r g**a**igona d**a** **a**rts g**a**cherbula **gamarjobis** s**a**tqmelad. ”Hm” tqv**a** P**o**pma”**a**lbat v**e**r g**a**igona r**a**dgan zrd**i**lobian **a**damians **u**nda **e**tqva r**a**me **“Kargad,da tqven?”**an”**Kargad,gmadlobt”**-s m**a**gvari.” Sh**e**mdegi **i**kho k**a**tsi t**e**tri khsh**i**ri tsv**e**rit,dz**a**lian m**e**gobrulad g**a**moikhureboda. P**o**pi zrd**i**lobianad m**i**esalma d**a** tqv**a** **‘gilotsavt akhal tsels!”** katsma ch**a**ibuzghuna d**a** g**a**agrdzela gz**a**,**a**lbat **a**r **i**ko m**e**gobruli. P**o**pma up**a**sukha **”Karg dghes gisurvebt!” Shemdegi** r**a**modenime kl**i**enti zrd**i**obiani **a**ghmochnda d**a** d**a**elaparaka. **E**rtertma **u**tkhra**”gamarjobat”**d**a** m**e**orem **“me Jimi mqvia, tqven ra gqviat?"** Dgh**i**s b**o**losaken P**o**pi d**a**ighala d**a** misi

misalmebebi aghar ikho isetive epeqturi rogorts dilas. Uprosi gabrazda magram meore shansi mistsa. Man gaaprtkhila rom ubralo **"gamarjoba"** ar ikho sakmarisi im megobruli garemosatvis romelsats klientebi mitchveulni ikhvnen. "Tu ginda kargi shtabechdileba moakhdino unda ikho zrdilobiani. Shen shegizlia tqva rame"**gilotsavt shobas"**an **"karg dghes gisurvebt,batono"**-s magvari magram gtkhov,khvelas zrdilobianad moeqetsi vints shegkhvdeba. Bolos,dghe rom sruldeboda,Popi dzalain mokharuli ikho rom sheedzlo **"ghame mshvidobisa"**-s tqma. Sakhlshi tsavida ghimils gareshe,magram tavistavs utkhra rom khval akhali dghe iqneboda da autsileblad khvelas unda gaughimos.

8) House
8) სახლი
8) Sakhli

Air conditioner

ჰაერის კონდიციონერი

Haeris konditsioneri

appliances

ხელსაწყოები

Khelsatskhobebi

attic

სხვენი

Skhveni

awning

ტენტი

Tenti

backyard

სახლის უკანა ეზო

Sakhlis ukana ezo

balcony

აივანი

Aivani

basement

სარდაფი

Sardapi

---

bathroom

სააბაზანო

Saabazano

---

bed

საწოლი

Satsoli

Bedroom

საძინებელი

Sadzinebeli

Blanket

საბანი

Sabani

---

blender

ბლენდერი

Blenderi

---

blinds

შტორი

Shtori

---

bookshelf/bookcase

წიგნების თარო/წიგნების კარადა

Tsignebis taro/tsignebis karada

bowl

ჯამი

Jami

cabinet

კაბინეტი/კარადა

Kabineti/karada

carpet

ხალიჩა

Khalicha

carport

ავტომობილის ფარდული

Avtomobilis parduli

ceiling

ჭერი

Cheri

cellar

სარდაფი

Sardapi

chair

სკამი

Skami

---

chimney

საკვამლე მილი/ბუხარი

Sakvamle mili/bukhari

---

clock

საათი

Saati

---

closet

ტანსაცმლის კარადა

Tansatsmlis karada

---

computer

კომპიუტერი

Kompiuteri

---

counter

დახლი

Dakhli

---

couch

ტახტი

Takhti

---

crib

ბავშვის საწოლი

Bavshvis satsoli

cupboard

ჭურჭლის კარადა

Churchlis karada

cup

ფინჯანი

Pinjani

curtain

ფარდა

Parda

desk

მერხი

Merkhi

dining room

სასადილო ოთახი

Sasadilo otakhi

dishes

თეფშები

Tepshebi

dishwasher

ჭურჭლის სარეცხი მანქანა

Churchlis saretskhi manqana

door

კარი

Kari

doorbell

კარის ზარი

Karis zari

doorknob

კარის სახელური

Karis sakheluri

doorway

კარის სიო

Karis sio

driveway

შენობასთან მისასვლელი გზა

Shenobastan misasvleli gza

dryer

საშრობი

Sashrobi

duct

მილი

Mili

exterior

ექსტერიერი

Eksterieri

family room

საერთო ოთახი

Saerto otakhi

fan

ვენტილატორი

Ventilatori

faucet

ონკანი

Onkani

fence

მესერი

Meseri

fireplace

ბუხარი

Bukhari

floor

იატაკი

Iataki

foundation

საფუძველი

Sapudzveli

frame

ჩარჩო

Charcho

freezeer

საყინულე

Sakhinule

furnace

ღუმელი

Ghumeli

furniture

ავეჯი

Aveji

garage

გარაჟი

Garajhi

garden

ბაღი

Baghi

---

grill

შამფური

Shampuri

---

gutters

წყალსადინარი მილი

Tskhalsadinari mili

---

hall/hallway

ჰოლი/შესასვლელი

Holi/shesasvleli

---

insulation

იზოლაცია

Izolatsia

Jacuzzi tub

ჯაკუზის აბაზანა

Jakuzis abazana

---

kitchen

სამზარეულო

Samzareulo

---

key

გასაღები

Gasaghebi

ladder

კიბე

Kibe

lamp

ნათურა

Natura

landing

შესასვლელი

Shesasvleli

laundry

სამრეცხაო

Samretskhao

lawn

გაზონი

Gazoni

lawnmower

გაზონის სათიბი მანქანა

Gazonis satibi manqana

library

ბიბლიოთეკა

*B**i**blioteka*

Linen closet

თეთრეულის კარადა

*T**e**treulis k**a**rada*

---

light

შუქი

*Sh**u**qi*

---

living room

სასტუმრო ოთახი

*S**a**stumro **o**takhi*

---

lock

საკეტი

*S**a**keti*

---

loft

სხვენი

*Skhv**e**ni*

---

mailbox

საფოსტო ყუთი

*S**a**posto kh**u**ti*

---

mantle

ბუხრის თარო

Bukhris taro

master bedroom

დიდი საძინებელი

Didi sadzinebeli

microwave

მიკროტალღური ღუმელი

Mikrotalghuri ghumeli

mirror

სარკე

Sarke

neighborhood

სამეზობლო

Samezoblo

nightstand

ტუმბო

Tumbo

office

კანცელარია

Kantselaria

oven

ღუმელი

Ghumeli

painting

ნახატი

Nakhati

paneling

შემოფიცვრა

Shemopitsvra

pantry

საწყობი

Satskhobi

patio

შიდა ეზო

Shida ezo

Picnic table

საპიკნიკო მაგიდა

Sapikniko magida

picture

სურათი

Surati

Picture frame

სურათის ჩარჩო

Suratis charcho

Pillow

ბალიში

Balishi

---

plates

თეფშები

Tepshebi

---

plumbing

წყალსადენი

Tskhalsadeni

---

pool

აუზი

Auzi

---

porch

აივანი

Aivani

Queen bed

დიდი საწოლი

Didi satsoli

---

quilt

დალიანდაგებული საბანი

Daliandagebuli sabani

---

railing

მესერი

Meseri

---

range

ზონა

Zona

---

refrigerator

მაცივარი

Matsivari

Remote control

პულტი

Pulti

---

roof

სახურავი

Sakhuravi

---

room

ოთახი

Otakhi

rug

ნოხი

Nokhi

Screen door

გამჭირვალე კარი

Gamchirvale kari

---

shed

ფარდული

Parduli

---

shelf/shelves

თარო/თაროები

Taro/taroebi

---

shingles

ნიშნები

Nishnebi

---

shower

შხაპი

Shkhapi

---

shutters

ჟალუზები

Jhaluzebi

---

siding

სათადარიგო ხაზი
Satadarigo khazi

sink

ბაკანი
Bakani

sofa

სავარძელი
Savardzeli

step

ნაბიჯი
Nabiji

stoop

ღია ვერანდა
Ghia veranda

stove

ქურა
Qura

study

კაბინეტი
Kabineti

stairs/staircase

კიბე/კიბეები

Kibe/kibeebi

---

shingle

ყავარი

Khavari

---

table

მაგიდა

Magida

---

telephone

ტელეფონი

Teleponi

---

television

ტელევიზორი

Televizori

---

toaster

ტოსტერი

Tosteri

---

toilet

ტუალეტი

Tualeti

---

towel

პირსახოცი

Pirsakhotsi

Trash can

ნაგვის ურნა

Nagvis urna

trim

მორთვა

Mortva

upstairs

მაღლა

Maghla

Utility room

სამრეცხაო

Samretskhao

vacuum

მტვერსასრუტი

Mtversasruti

vanity

ტუალეტის მაგიდა

Tualetis magida

vase

ლარნაკი

Larnaki

vent

სასულე

Sasule

wall

კედელი

Kedeli

wardrobe

გარდერობი

Garderobi

Washing machine/washer

სარეცხი მანქანა

Saretskhi manqana

Waste basket

ნაგვის კალათა

Nagvis kalata

Water heater

წყლის გამათბობელი

Tskhlis gamatbobeli

welcome mat

შემოსასვლის ფეხსაწმენდი

Shemosasvlis pekhsatsmendi

window

ფანჯარა

Panjara

Window pane

ფანჯრის მინა

Panjris mina

Window sill

ფანჯრის რაფა

Panjris rapa

yard

ეზო

Ezo

Related Verbs

დაკავშირებული ზმნები

Dakavshirebuli zmnebi

to build

აშენება

Asheneba

to buy

ყიდვა

Khidva

---

to clean

გაწმენდა

Gatsmenda

---

to decorate

მორთვა

Mortva

---

to leave

წასვლა/დატოვება

Tsasvla/datoveba

---

to move in

გადმოსვლა

Gadmosvla

---

to move out

გადასვლა

Gadasvla

---

to renovate

განახლება

Ganakhleba

---

to repair

შეკეთება

Sheketeba

---

to sell

გაყიდვა

Gakhidva

To show

ჩვენება

Chveneba

---

to visit

სტუმრობა

Stumroba

To view

დათვალიერება

Datvaliereba

To work

მუშაობა

Mushaoba

Mike and Linda just bought their first **house**. It is a not a large house, but it is very cozy. It is in a very nice **neighborhood** and has a cute, well-manicured **lawn**. It has a small front **porch**, which will be nice to relax on in the evenings after work. The **exterior** is light blue with a dark blue **door** and **shutters**. It has a nice size **garage** that is big enough for both of their cars and a small **shed** out back for their

lawnmower. The **backyard** is small, but has a cute little swing set. One day, maybe they will have kids to enjoy it. The **livingroom** is very spacious and is beautifully decorated in greens and blues. The **walls** are painted light blue and the **curtains** are patterned green and blue. The **couch** and **chair** are very comfortable and roomy enough for the few guests they may have on occasion. Mike is very excited about the new **television** they had installed on the **wall** above the **fireplace**. The **kitchen** is small, yet functional. It has a **refrigerator**, a **dishwasher,** an **oven**, and a built-in **microwave.** There is not much storage, so Linda will have to be very organized. The **walls** are painted yellow and it has a nice floral border. Linda did not pick it out, but it suits her taste well. The **house** has three **bedrooms**, which gives their family room to grow. The **master bedroom** is big enough to fit their **queen bed**, two **nightstands**, and a **dresser**. Linda has already picked out **curtains** to match the bedding. The **walls** are painted beige, but Linda thinks she can brighten the **room** with other decor. Linda's favorite part of the house is the master **bathroom**; it has a j**acuzzi tub** and she can't wait to try it out. It also has a separate **shower** and a double **vanity**. Mike works from home, so he plans to use one of the other, even smaller **bedrooms** as a home **office**. There is not a lot of space, but enough for his **desk**, **computer**, and a **bookshelf**. The back **porch** is nice and has a charcoal **grill** and a **picnic table.** Mike loves to cook on the **grill**, so it will be put to good use. They will need to get a **washing machine** and **dryer** for the **laundry room,** it is small, but it has a **sink**, which is very helpful when washing clothes. Overall, Mike and Linda picked out an excellent first home. It fits their budget, as well as their taste perfectly!

მაიკმა და ლინდამ ცოტახნისწინ იყიდეს პირველი **სახლი**. დიდი სახლი არაა მაგრამ ძალიან მყუდროა,ის ძალიან კარგ **სამეზობლოში** მდებარეობს და აქვს მშვენიერი მოვლილი **გაზონი**. მას აქვს პატარა წინა **პარმაღი**,რაც კარგად გამოდგება საღამოს სამსახურის შემდეგ დასვენებისათვის. **ექსტერიერი** ღია

ლურჯია მუქი ლურჯი **კარებითა** და **ჟალუზებით.** აქვს კარგი ზომის **გარაჟი,**რომელიც საკმარისად დიდია **ორი** მანქანისათვის, და **პატარა ფარდული გაზონის სათიბი მანქანისათვის. უკანა ეზო** პატარაა,მაგრამ მას გააჩნია მშვენიერი საქანელები. ერთ მშვენიერ დღეს მათ ალბათ ეყოლებათ ბავშვები ამით რომ ისიამოვნონ.**სასტუმრო ოთახი** ძალიან ფართოა და ლამაზადაა მორთული მწვანე და ლურჯ ფერებში. **კედლები** შეღებილია ღია ლურჯად და **ფარდები** მწვანე და ლურჯ ფერებშია. **ტახტი** და **სკამი** ძალიან კომფორტულია და საკმაოდ დიდი რამოდენიმე სტუმრის მისაღებად. მაიკი ძალიან ამაყობს ახალი **ტელევიზორით** რომელიც ჩამიკოდეს **კედელზე ბუხრის** ზემოთ. **სამზარეულო** პატარაა მაგრამ ფუნქციური. მანდ არის **მაცივარი,ჭურჭლის სარეცხი მანქანა,ღუმელი** და კედელში ჩაშენებული **მიკროტალღური ღუმელი**. ბევრი შესანახი ადგილი არაა,ამიტომაც ლინდა ძალიან მოწესრიგებული **უნდა** იყოს. **კედელბი** ყვითლადაა შეღებილი და აქვს ყვავილებიანი ბორდიური. ლინდას ეს არ აურჩევია მაგრამ მის გემოვნებას ემთხვევა. **სახლს** აქვს სამი **საძინებელი,**რაც **ოჯახს** საკმარის ფართს აძლევს **ზრდისათვის. დიდი საძინებელი** საკმარისი ზომისაა მათი **დიდი საწოოლისათვის,**ორი **ტუმბოსა** და **ტუალეტის მაგიდისათვის**.ლინდამ **უკვე** აირჩია **ფარდები** რომლებიც საწოლის თეთრეულს მოუხდება. **კედლები** ბეჟი ფერისაა მაგრამ ლინდა თვლის რომ მას შეუძლია **ოთახი** გაანათოს სხვა ფერებით. ლინდას საყვერელი **ოთახი** არის **დიდი სააბაზანო.** მას აქვს **ჯაკუზი** და მას ძალიან **უნდა** მისი გამოყენება .მანდ აგრეთვე არის ცალკე **საშხაპე** და ორმაგი **ტუალეტის მაგიდა**. მაიკი სახლიდან მუშაობს და ამიტომ აპირებს დანარჩენი ორი **საძინებლიდან** ერთერთის **ოფისად** გამოყენებას. ბევრი ფართი არაა მაგრამ საკმარისია მისი **მაგიდის,კომპიუტრისა** და **წიგნების თაროსათვის.** უკანა **პარმაღს** გააჩნია **ნახშირის შამფური** და **საპიკნიკო მაგიდა**. მაიკს უყვარს **შამფურებზე**

საჭმლის მომზადება ასე რომ მაგას კარგად გამოიყენებს. მათ დასჭირდებათ **სარეცხი მანქანისა** და **საშრობის** შეძენა **სამრეცხაო ოთახისათვის**,ის პატარაა მაგრამ მას გააჩნია წყლის **ბაკანი** რაც გამოსადეგი იქნება ხელით რეცხვისათვის. საერთო ჯამში მაიკს და ლინდას შესანიშნავი სახლი აურჩევიათ. ის ემთხვევა მათ ბიუჯეტსა და გემოვნებას.

Maikma da Lindam tsotakhnistsin ikhides pirveli **sakhli.** Didi sakhli araa magram dzalain mkhudroa,is dzalian karg **samezobloshi** mdebareobs da aqvs mshvenieri movlili **gazoni.** Mas aqvs patara tsina **parmaghi,**rats kargad gamodgeba saghamos samsakhuris shemdeg dasvenebisatvis. **Eqsterieri** ghia lurjia muqi lurji **karebita** da **jhaluzebit**. Aqvs kargi zomis **garajhi**,romelits sakmarisad didia ori manqanisatvis,da **patara parduli gazonis satibi manqanisatvis**. Ukana ezo pataraa,magram mas gaachnia mshvenieri saqanelebi. Ert mshvenier dghes mat albat ekholebat bavshvebi amit rom isiamovnon. Sastumro otakhi dzalian partoa da lamazadaa mortuli mtsvane da lurj perebshi. **Kedlebi** sheghebilia ghia lurjad da **pardebi** mtsvane da lurj perebshia. **Takhti** da **skami** dzalian komportulia da sakmaod didi ramodenime stumris misaghebad. Maiki dzalian amakhobs akhali **televizorit** romelits chamokides **kedelze bukhris** zemot. **Samzareulo** pataraa magram punqtsiuri. Mand aris **matsivari,churchlis saretskhi manqana,ghumel**i da kedelshi chashenebuli **mikrotalghuri ghumeli.** Bevri shesanakhi adgili araa,amitomats Linda dzalian motserigebuli unda ikhos. **Kedlebi** khvitladaa sheghebili da aqvs khvavilebiani bordiuri. Lindas es ar aurchevia magram mis gemovnebas emtkhveva. **Sakhls** aqvs sami **sadzinebeli** ,rats ojakhs sakmaris parts adzlevs **zrdisatvis. Didi sadzinebeli** sakmarisi zomisaa mati **didi satsolisativs**,ori **tumbosa** da **tualetis** magidisatvis. Lindam ukve airchia **pardebi** romelits satsolis tetreuls moukhdeba. **Kedlebi** bejhi perisaa magram Linda tvlis rom mas sheudzlia **otakhi** gaanatos skhva perebit. Lindas sakhvareli otakhi aris **didi saabazano**. Mas akvs **jakuzi** da mas dzalian unda misi gamokheneba. Mand agretve aris tsalke **sashkhape** da **ormagi tualetis** magida. Maiki sakhlidanmushaobs da amitom apirebs danarcheni ori **sadzineblidan** ertertis **opisad** gamokhenebas. Bevri parti araa magram sakmarisia misi **magidis,kompiuterisa** da **tsignebis tarosatvis.** Ukana **parmaghs** gaachnia **nakhshiris shampuri** da **sapikniko magida.** Maiks ukhvars **shampurebze** sachmlis momzadeba ase rom magas kargad gamoikhenebs. Mat daschirdebat **saretskhi manqanisa** da **sashrobis** shedzena samretskhao otakhistvis,is pataraa magram mas gaachnia tskhlis **bakani** rats gamosadegi iqneba khelit retskhvisatvis. Saerto jamshi Maiks da Lindas shesanishnavi sakhli aurcheviat. Is emtkhveva mat biujetsa da gemovnebas.

9) Arts & Entertainment
9) ხელოვნება და გართობა
9) Khelovneba da gartoba

3-D

სამი-დე

Sami-de

Action movie

ბოევიკი

Boeviki

action

მოქმედება

Moqmedeba

actor/actress

მსახიობი/ მსახობი ქალი

Msakhiobi/msakhiobi qali

album

ალბომი

Albomi

alternative

ალტერნატივა

Alternativa

amphitheater

ამფითეატრი

Ampiteatri

animation

ანიმაცია

Animatsia

artist

მხატვარი

Mkhatvari

audience

აუდიტორია

Auditoria

ballerina

ბალერინა

Balerina

ballet

ბალეტი

Baleti

band

გუნდი

Gundi

blues

ბლუზი

Bluzi

caption

ტიტრი

Titri

carnival

კარნავალი

Karnavali

cast

როლების განაწილება

Rolebis ganatsileba

choreographer

ქორეოგრაფი

Qoreograpi

cinema

კინოთეატრი

Kinoteatri

comedy

კომედია

Komedia

commercial

რეკლამა

Reklama

---

composer

კომპოზიტორი

Kompozitori

---

concert

კონცერტი

Kontserti

---

conductor

დირიჟორი

Dirijhori

---

contemporary

თანამედროვე

Tanamedrove

---

country

სოფელი/ქვეყანა

Sopeli/qvekhana

---

credits

პატივისცემა

Pativiscema

---

dance

ცეკვა

Tsekva

dancer

მოცეკვავე

Motsekvave

director

რეჟისორი

Rejhisori

documentary

დოკუმენტური ფილმი

Dokumenturi pilmi

drama

დრამა

Drama

drummer

მედოლე

Medole

duet

დუეტი

Dueti

episode

ეპიზოდი

Epizodi

---

event

ღონისძიება

Ghonisdzieba

---

exhibition

გამოფენა

Gamopena

---

fair

ჩვენება

Chveneba

---

fantasy

ფანტაზია

Pantazia

Feature/feature film

მხატვრული ფილმი

Mkhatvruli pilmi

---

film

ფილმი

Pilmi

---

flick

კინოსურათი

Pilmi/kinosurati

gallery

გალერეა

Galerea

genre

ჟანრი

Jhanri

gig

ჯალამბარი

Jalambari

group

ჯგუფი

Jgupi

guitar

გიტარა

Gitara

guitarist

გიტარისტი

Gitaristi

hip-hop

ჰიპ-ჰოპი

*H**i**p-h**o**pi*

---

horror

საშინელება

*S**a**shineleba*

---

inspirational

სულისჩამდგმელი

*S**u**lischamdgmeli*

---

jingle

თანჟღერა

*T**a**njhera*

---

legend

ლეგენდა

*L**e**genda*

---

lyrics

ლირიკა

*L**i**rika*

---

magician

ჯადოქარი

*J**a**doqari*

---

microphone

მიკროფონი

*M**i**kroponi*

---

motion picture

კინოსურათი

*K**i**nosurati*

Movie director

რეჟისორი

*R**e**jhisori*

Movie script

სცენარი

*Ts**e**nari*

---

museum

მუზეუმი

*M**u**zeumi*

---

music

მუსიკა

*M**u**sika*

---

musical

მიუზიკლი

*M**i**uzikli*

---

musician

მუსიკოსი

M**u**sikosi

---

mystery

საიდუმლო

S**a**idumlo

New age

ახალი საუკუნე

**A**khali saukune

---

opera

ოპერა

**O**pera

Opera house

ოპერის სახლი

**O**peris s**a**khli

---

orchestra

ორქესტრი

Orq**e**stri

---

painter

ფერმწერი

P**e**rmtseri

---

painting

ფერწერა

Pertsera

performance

შესრულება

Shesruleba

pianist

პიანისტი

Pianisti

picture

სურათი

Surati

play

პიესა

Piesa

playwright

დრამატურგი

Dramaturgi

pop

პოპი

Popi

popcorn

პოპკორნი

Popkorni

producer

დამდგმელი

Damdgmeli

rap

რეპი

Repi

reggae

რეგი

Regi

repertoire

რეპერტუარი

Repertuari

rock

როკი

Roki

role

როლი

Roli

romance

პოემა

*P**o**ema*

---

scene

სცენა/ესტრადა

*Ts**e**na/estr**a**da*

---

science fiction

სამეცნიერო ფანტასტიკა

*Ts**a**metsniero p**a**ntastika*

---

sculptor

მოქანდაკე

*M**o**qandake*

---

shut

კადრი

*K**a**dri*

---

singer

მომღერალი

*M**o**mgherali*

---

show

შოუ/ჩვენება

*Sh**o**u/chv**e**neba*

Show business

შოუ ბიზნესი

Shou biznesi

Silent film

უხმო ფილმი

Ukhmo pilmi

sitcom

კომედიური სიტუაცია

Komediuri situatsia

song

სიმღერა

Simghera

soloist

სოლო მომღერალი

Solo momgherali

song

სიმღერა

Simghera

songwriter

კომპოზიტორი

Kompozitori

stadium

სტადიონი

*St**a**dioni*

---

stage

სცენა

*Ts**e**na*

---

stand-up comedy

ერთი მსახიობის კომედია

***E**rti msa**k**hiobis k**o**media*

---

television

ტელევიზია

*T**e**levizia*

TV show

სატელევიზიო შოუ

*S**a**televizio sh**o**u*

---

theater

თეატრი

*T**e**atri*

---

understudy

დუბლიორი

*D**u**bliori*

---

vocalist

ვოკალისტი

Vokalisti

violinist

მევიოლინე

Meveoline

Related Verbs
დაკავშირებული ზმნები
Dakavshirebuli zmnebi

to act

როლის თამაში

Rolis tamashi

to applaud

ტაშის დაკვრა

Tashis dakvra

to conduct

დირიჟორობა

Dirijhoroba

to dance

ცეკვა

Tsekva

to direct

მართვა

Martva

to draw

ხატვა/ხაზვა

Khatva/khazva

to entertain

გართობა

Gartoba

To exhibit

გამოფენა

Gamopena

to host

მასპინძლობა

Maspindzloba

to paint

ხატვა/ფერწერა

Khatva/pertsera

to perform

სცენაზე შესრულება

Stsenaze shesruleba

to play

თამაში

Tamashi

To sculpt

ქანდაკება

Qandakeba

to show

ჩვენება

Chveneba

to sing

მღერა

Mghera

to star

მთავარი როლის შესრულება

Mtavari rolis shesruleba

to watch

ყურება

Khureba

Mark Jones is a **legend** in **show business**. His career has been nothing less than amazing. He is an award-winning **actor**, **director**, and **producer** of **film** and **television**. Jones was born in West Central, California. His mother was a teacher and his father was a police officer. He came from humble beginnings and built his career from the bottom up. As a boy, he loved to be the center of attention;

he either had a **microphone** in his hand or a **guitar** over his shoulder. He was a very talented **musician** and it seemed he was headed on a path towards becoming a **singer**. He is a talented **songwriter** as well. Few people know that he released his first and only **album** when he was just 16 years old. It was a **pop album**, but It didn't have much success. That didn't stop him from finding his purpose. He also tried **stand-up comedy**. He always drew large crowds, but he knew that wasn't what he was called to do. When he was in his early twenties, he decided to try out for the local community **musical**. He was amazing in his **role** and that is when he made the decision to try acting and he has never looked back! His acting career took off fast. He got his start on a **sitcom** called *Best Friends.* That show was very popular and aired for eight full seasons. It was the beginning of Jones' long and successful and career. He went on to star in several **feature films,** such as *The Dollar*, *Money Maze*, and *Backyard Boys*, just to name a few. There were a few flops in his career, but that didn't stop him. He has starred in many different **genres** of films; proving his versatility as an **actor**. He has played in **dramas**, **comedies**, and **documentaries**. He has also won multiple major awards for his acting. As time went on, he decided to try **directing films**. He was amazing as a **director** and won awards for his work with **feature films**, such as *The Child* and *End of All*. But that wasn't enough for Mark; he became a **producer** and to no surprise, was very successful. His **films** have been wildly successful and it makes everyone wonder where he will go next. It is safe to call Mark Jones a mega-**star**. He has not only been successful in every **entertainment** venture he has attempted, he has also been successful with his family. He has been married to his wife for twenty-five years, which is a rarity in show business.

მარკ ჯონსი **ლეგენდაა შოუ ბიზნესში.** მისი კარიერა საოცრების გარდა არაფერია. ის დაჯილდოვებებში გამარჯვებული **მსახიობია, რეჟისორი ,ფილმებისა და სატელევიზიო პროდიუსერია.** ჯონსი დაიბადა აღმოსავლეთ

ცენტრალში,კალიფორნიაში.დედამისი მასწავლებელი და მამა პოლიციელი იყო. ის ღარიბი ოჯახიდან იყო და ააწყო კარიერა ძირიდან მწვერვალამდე. პატარა ბიჭი რომ იყო უყვარდა ყურადღების ცენტრში ყოფნა.მას ან **მიკროფონი** ეჭირა ხელში ან **გიტარა** ჰქონდა მხარზე გადმოკიდებული. ის ძალიან ნიჭიერი **მუსიკოსი** იყო და თითქოს **მომღერალი** უნდა გამოსულიყო . ის აგრეთვე ნიჭიერი **კომპოზიტორია.** რამოდენიმე ადამიანმა იცის რომ მან თექსვმეტი წლის ასაკში თავისი პირველი **ალბომი** გამოუშვა. **პოპ ალბომი** იყო მაგრამ დიდ წარმატებას ვერ მიაღწია. მას არ შეუჩერებია თავისი დანიშნულების ძიება. მან აგრეთვე **ერთი მსახიობის კომედია** სცადა. ის ყოველთვის დიდ აუდიტორიას აგროვებდა მაგრამ იცოდა რომ ეს არ იყო მისი საქმე. ოცი წლის რომ იყო გადაწყვიტა თავი გამოსცადოს ადგილობრივ **მუზიკლში**. შესანიშნავად შეასრულა თავისი **როლი** და იმის შემდეგ რაც მსახიობობა გადაწყვიტა უკან აღარ დაუხევია. მისი სამსახიობო კარიერა სწრაფად დაიწყო. მან დაიწყო **სიტუაციური კომედიით** სახელად „საუკეთესო მეგობრები". ეს შოუ ძალიან პოპულარული იყო და ეთერში გავიდა რვა სეზონი. ეს იყო ჯონსის გრძელი წარმატებული კარიერის დასაწყისი. მან მიიღო მონაწილეობა რამოდენიმე **მხატვრულ ფილმში**,მაგალითად „დოლარ"-ში,"ფულის ლაბირინტ"-ში,"უკანა ეზოს ბიჭებ"-ში,და მრავალ სხვაში. რამოდენიმე ჩავარდნა ჰქონდა კარიერაში მაგრამ ის არ გაჩერებულა. სხვადსხვა **ჟანრის** ფილმებში მიიღო მონაწილეობა რაც ამტკიცებდა მის **მსახიობურ** მრავალფეროვნებას. მან მიიღო მონაწილეობა **დრამებში,კომედიებში** და **დოკუმენტალურ** ფილმებში. აგრეთვე მიიღო მრავალი მნიშვნელოვანი ჯილდო მისი შესრულებისათვის. დრო გადიოდა და მან **რეჟისორობა** გადაწყვიტა. შესანიშნავი **რეჟისორი** აღმოჩნდა და მიიღო ჯილდოები ისეთ **ფილმებში** როგორიცაა „ბამშვი" და „ყველაფრის დასასრული".მაგრამ ეს არ იყო საკმარისი

მარკისათვის,ის გახდა **პროდიუსერი** და რა საკვირველია აქაც წარმატებას მიაღწია. მისი **ფილმები** წარმოუდგენელად წარმატებული იყო და ყველას აინტერესებს კიდე რას დააპირებს. მარკ ჯონს შეგვიძლია ვუწოდოთ მეგა-**ვარსკვლავი**. ის არა მხოლოდ წარმატებული გახდა ყველა **გასართობ** ავანტურაში რომელშიც მიიღო მონაწილეობა,არამედპირად ცხოვრებაშიც . უკვე ოცდახუთი წელია რაც დაოჯახებულია რაც იშვიათობაა შოუ ბიზნესში.

M**a**rk J**o**nsi **legendaa shou biznessh**i. M**i**si k**a**riera s**a**otsrebis g**a**rda **a**raperia. **Is** d**a**jildovebebshi g**a**marjvebuli **msakhiobia,rejhisori,pilmebisa** d**a** **satelevizio prodiuseria**. J**o**nsi d**a**ibada **a**ghmosavlet ts**e**ntralshi,k**a**liporniashi.d**e**damisi m**a**stsavlebeli d**a** m**a**ma p**o**litsieli **i**kho. **Is** gh**a**ribi **o**jakhidan **i**kho d**a** **a**atskho k**e**riera dz**i**ridan mtsv**e**rvalamde. P**a**tara b**i**chi r**o**m **i**kho **u**khvarda kh**u**radghebis ts**e**ntrshi kh**o**pna. M**a**s **an** **mikroponi e**chira kh**e**lshi **an** **gitara** hq**o**nda mkh**a**rze g**a**dmokidebuli. **Is** dz**a**lian n**i**chieri **musikosi** **i**kho d**a** t**i**tqos **momgherali u**nda g**a**mosulikho. **Is** **a**gretve n**i**chieri **kompozitoria**. R**a**modenime **a**damianma **i**tsis r**o**m m**a**n t**e**qsvmeti tsl**i**s **a**sakshi t**a**visi p**i**rveli **albomi** g**a**moushva. **Pop albomi** **i**kho m**a**gram d**i**d ts**a**rmatebas v**e**r m**i**aghtsia. M**a**s **a**r sh**e**ucherebia t**a**visi d**a**nishnulebis dz**i**eba. M**a**n **a**gretve **erti msakhiobis komedia** sts**a**da. **Is** kh**o**veltvis d**i**d **a**uditorias **a**grovebda m**a**gram **i**tsoda r**o**m **es** **ar** **i**kho m**i**si s**a**qme. **O**tsi tsl**i**s r**o**m **i**kho g**a**datskhvita t**a**vi g**a**mostsados **a**dgilobriv **miuziklshi**. Sh**e**sanishnavad sh**e**asrula t**a**visi **roli** **da** **i**mis sh**e**mdeg r**a**ts ms**a**khioboba g**a**datkhvita **u**kan **a**ghar d**a**ukhevia. M**i**si s**a**msakhiobo k**a**riera stsr**a**pad d**a**itskho. M**a**n d**a**itskho **situatsiuri komediit** sakhelad"S**a**uketeso m**e**gobrebi". **E**s sh**o**u dz**a**lian p**o**pularuli **i**kho d**a** **e**tershi g**a**vida rv**a** s**e**zoni. **Es** **i**kho J**o**nsis grdz**e**li ts**a**rmatebuli k**a**rieris d**a**satkhisi. M**a**n m**i**igho m**o**natsileoba r**a**modenime **mkhatvrul pilmshi,**m**a**galitad "d**o**lar"-Shi,"p**u**lis l**a**birint"-Shi,"**u**kana **e**zos b**i**cheb"-shi,d**a** mr**a**val skhv**a**shi. R**a**modenime ch**a**vardna hk**o**nda k**a**rierashi m**a**gram **is** **a**r g**a**cherebula. Skhv**a**daskhva jh**a**nris pilmebshi miigho monatsileoba rats amtkitsebda mis **msakhiobur** mravalperovnebas. Man miigho monatsileoba **dramebshi ,komediebshi** da **dokumentalur** pilmebshi. Agretve miigho mravali mnishvnelovani jhildo misi shesrulebisatvis. Dro gadioda da man **rejhisoroba** gadatskhvita. Shesanishnavi **rejhisori** aghmochnda da miigho jildoebi iset pilmebshi rogoritsaa "Bavshvi" da "Yvelafris dasasruli". Magram es ar ikho sakmarisi markisatvis,is gakhda **prodiuseri** da ra sakvirvelia aqats tsarmatebas miaghtsia. Misi **pilmebi** tsarmoudgenelad tsarmatebuli ikho da khvelas ainteresebs kide ras daapirebs. Mark Jons shegvidzlia vutsodot mega-varskvlavi. Is ara mkholod tsarmatebuli gakhdakhvela **gasartob** avantiurashi romelshits miigho monatsileoba ,aramedpirad cxovrebashic . Ukve otsdakhuti tselia rats daojakhebulia rats ishviatobaa shou biznesshi.

10) Games and Sports
10) თამაშები და სპორტი
10) Tamashebi da sporti

ace

ასი

***A**si*

---

amateur

მოყვარული

*M**o**khvaruli*

---

archery

მშვილდით სროლა

*Mshv**i**ldit sr**o**la*

---

arena

ასპარეზი

***A**sparezi*

---

arrow

ისარი

***I**sari*

---

athlete

ატლეტი

***A**tleti*

---

badminton

ბადმინტონი

Badmintoni

ball

ბურთი

Burti

base

ბაზა

Baza

baseball

ბეისბოლი

Beisboli

basket

კალათა

Kalata

basketball

კალათბურთი

Kalatburti

bat

ჩოგბურთის ჩოგანი

Chogburtis chogani

billiards

ბილიარდი

Biliardi

bicycle

ველოსიპედი

Velosipedi

bow

მშვილდი

Mshvildi

bowling

ბოულინგი

Boulingi

boxing

კრივი

Krivi

captain

კაპიტანი

Kapitani

champion

ჩემპიონი

Chempioni

championship

ჩემპიონატი

chempionati

---

cleats

თამასები

Tamasebi

---

club

კლუბი

Klubi

---

competition

შეჯიბრი

Shejibri

---

course

კურსი

Kursi

---

cricket

კრიკეტი

Kriketi

---

cup

თასი

Tasi

---

curling

ქერლინგი

Qerlingi

---

court

კორტი

Korti

---

cycling

ველოსპორტი

Velosporti

---

darts

სასროლი შუბები

Sasroli shubebi

---

defense

თავდაცვა

Tavdatsva

---

diving

ყვინთაობა

Khvintaoba

---

dodgeball

წრეში ბურთი

Tsreshi burti

---

driver

მძღოლი

Mdzgholi

---

equestrian

მხედარი

Mkhedari

---

event

მოვლენა

Movlena

---

fan

გულშემატკივარი

Gulshenatkivari

---

fencing

ფარიკაობა

Parikaoba

---

field

ველი

Veli

Figure skating

ფიგურული სრიალი

Piguruli sriali

---

football

ფეხბურთი

Pekhburti

---

fishing

თევზაობა

Tevzaoba

---

game

თამაში

Tamashi

---

gear

აღჭურვილობა

Aghchurviloba

---

goal

გოლი

Goli

---

golf

გოლფი

Golpi

Golf club

გოლფის კლუბი

Golpis klubi

---

gym

სატანვარჯიშო დარბაზი

*S**a**tanvarjisho d**a**rbazi*

---

gymnastics

გიმნასტიკა

*G**i**mnastika*

---

halftime

ნახევარი დრო

*N**a**khevari dr**o***

---

helmet

ჩაფხუტი

*Ch**a**pkhuti*

---

hockey

ჰოკეი

*H**o**kei*

Horse racing

ცხენით ჯირითი

*Tskh**e**nit jh**i**riti*

---

hunting

ნადირობა

*N**a**diroba*

---

ice skating

ციგურებით სრიალი

Tsigurebit sriali

inning

ბურთის მიწოდება

Burtis mitsodeba

jockey

ჟოკეი

Jhokei

judo

ძიუდო

Dziudo

karate

კარატე

Karate

kayaking

კაიაკინგი

Kaiakingi

kickball

ბურთის ჩაწოდება

Burtis chatsodeba

lacrosse

ლაკროსი

Lakrosi

league

ლიგა

Liga

martial arts

სამხედრო ხელოვნება

Samkhedro khelovneba

mat

ნოხი

Nokhi

match

მატჩი

Matchi

medal

მედალი

Medali

net

ბადე

Bade

offense

თავდასხმა

Tavdaskhma

Olympic Games

ოლიმპიური თამაშები

Olimpiuri tamashebi

pentathlon

ხუთჭიდი

Khutchidi

pitch

სროლა

Srola

play

თამაში

Tamashi

player

მოთამაშე

Motamashe

polo

პოლო

Polo

pool

აუზი/ბილიარდი

***A**uzi/b**i**liardi*

Pool cue

ბილიარდის ჭოკი

*B**i**liardis ch**o**ki*

---

professional

პროფესიონალი

*Pr**o**pesionali*

---

puck

შაიბა

*Sh**a**iba*

---

quarter

მეოთხედი

*M**e**otkhedi*

---

race

დოღი/სირბილში შეჯიბრი

*D**o**ghi/s**i**rbilshi shejhibri*

Race car

საშეჯიბრო მანქანა

*S**a**shejhibro m**a**nqana*

---

racket

ჩოგანი

Chogani

record

რეკორდი

Rekordi

referee

მსაჯი

Msaji

relay

ცვლა

Tsvla

riding

ცხენოსნობა

Tskhenosnoba

ring

არენა

Arena

rink

საციგურაო მოედანი

Satsigurao moedani

rowing

ნაოსნობის სპორტი

Naosnobis sporti

rugby

რაგბი

Ragbi

running

სირბილი

Sirbili

saddle

უნაგირი

Unagiri

sailing

აფრით ცურვა

Aprit tsurva

score

ანგარიში

Angarishi

Shuffle board

შაფლბორდი

Shaplbordi

Shuttle cock

ვოლანი

Volani

Skates

ციგურები

Tsigurebi

---

skating

ციგურაობა

Tsiguraoba

---

skiing

თხილამურებით სრიალი

Tkhilamurebit sriali

---

skis

თხილამურები

Tkhilamurebi

---

soccer

ფეხბურთი

Pekhburti

---

softball

სოფტბოლი

Soptboli

---

spectators

მაყურებლები

Makhureblebi

---

sport

სპორტი

Sporti

---

sportsmanship

სპორტული სიმარჯვე

Sportuli simarjve

---

squash

ჭყლეტა

Chkhleta

---

stadium

სტადიონი

Stadioni

---

surf

სერფინგი

Serpingi

---

surfboard

სერფინგის ფიცარი

Serpingis pitsari

swimming

ცურვა

Tsurva

---

table tennis/ping pong

მაგიდის ჩოგბურთი/პინგ-პონგი

Magidis chogburti/ping-pongi

---

tag

გაკიდება

Gakideba

---

team

გუნდი

Gundi

---

tennis

ჩოგბურთი

Chogburti

---

tetherball

თეთერბოლი

Teterboli

---

throw

გადაგდება

Gadagdeba

---

track

ბილიკი

*B**i**liki*

---

track and field

ბილიკი და ველი

*B**i**liki d**a** v**e**li*

---

volleyball

ფრენბურთი

*Pr**e**nburti*

Water skiing

წყლის თხილამურები

*Tskhl**i**s tkh**i**lamurebi*

Weight lifting

მძიმე ატლეტიკა

*Mdz**i**me atl**e**tika*

---

whistle

სასტვენი

*S**a**stveni*

---

win

გამარჯვება

*G**a**marjveba*

---

winner

გამარჯვებული

Gamarjvebuli

wrestling

ჭიდაობა

Chidaoba

Related Verbs

დაკავშირებული ზმნები

Dakavshirebuli zmnebi

To catch

დაჭერა

Dachera

to cheat

თაღლითობა

Taghlitoba

to compete

შეჯიბრი

Shejibri

to dribble

ბურთის ჩაგდება

Burtis chagdeba

to go

წასვლა

Tsasvla

To hit

გარტყმა

Gartkhma

To jump

ხტუნვა

Khtunva

To kick

ფეხის კვრა

Pekhis kvra

To knock out

გათიშვა

Gatishva

to lose

წაგება

Tsageba

to play

თამაში

Tamashi

to race

სისწრაფეში შეჯიბრება

Sistsrapeshi shejibreba

To run

სირბილი

Sirbili

---

to score

მოგებათა ანგარიშის წარმოება

Mogebata angarishis tsarmoeba

---

to win

გამარჯვება

Gamarjveba

Sports are an important part of our culture and have been throughout all history. Men specifically, are drawn to **sports** because of their competitive nature. From the time they are four or five years old, little boys are playing **sports** such as **baseball**, **soccer**, and **basketball**. They grow up to be men and their competitive nature grows with them. Contact **sports**, such as American **football**, **dodgeball**, **boxing**, **hockey**, and **wrestling** are popular among men because of their competitiveness. Women also enjoy **sports**, but usually prefer **sports** with less contact, such as **tennis**, **figure skating**, **gymnastics**, and **swimming**. In recent years, women are participating in more contact **sports** than ever before. Even retirees enjoy playing **sports**, games such as **golf** and **shuffleboard** are popular among the older crowd. Not only do people enjoy playing **sports**, they love to watch **sports** as well. Wherever you travel, you are sure to see a **fan** or two dressed in their favorite **team** colors.

Sports fan merchandise is a huge industry. **Sports fans** spend a lot of money every year to buy **tickets** to events to cheer on their **team**. The most popular sporting **event** in the world is the **Olympic Games**. Most **athletes** dream of becoming an **Olympic medalist**. Although, there are some similarities, the **event** has changed quite a bit over the years. The **Olympics** have a rich history and began in Greece. **Sports** played an important role in Greek culture; playing a part in religious festivals as well as used as training for the Greek military. The **Olympics** began as a festival of **sporting events** that was very popular among the people; there were over 30 thousand **spectators** in attendance. The Greeks competed in **track and field events**, such as **running, javelin, long jump, discus**, just to name a few. The also **wrestled** and had **boxing matches**. The most popular event was the **pentathlon**, which included five **events**: the **long jump, javelin, discus**, a foot **race**, and **boxing**. The **Olympic Games** and the **sports** involved have changed since that first **event**. Today's **Olympic Games** are held in a different city each year. Over 10 thousand **athletes** compete in over 300 **events**! Some of the sports in the Modern **Olympic Games** are **archery, diving, basketball, cycling, volleyball, boxing**, and the modern **pentathlon** which includes **fencing, swimming**, show jumping**(equestrian)**, pistol **shooting**, and a cross country **run.**

სპორტი მთელი ისტორიის განმავლობაში იყო კულტურის მნიშვნელოვანი ნაწილი. კაცები განსაკუთრებით არიან ჩართულნი სპორტში მათი კონკურენტობის მოყვარე ბუნების გამო. ოთხი ხუთი წლის ასაკიდან ბიჭები თამაშობენ სპორტულ თამაშებს,ისეთებს როგორიცაა ბეისბოლი,ფეხბურთი და კალათბურთი. ისინი კაცდებიან და მათი შეჯიბრის მოყვარე ბუნება მათთან ერთად იზრდება. კონტაქტური სპორტი ისეთი როგორიცაა ამერიკული ფეხბურთი,წრეში ბურთი,კრივი,ჰოკეი და ჭიდაობა პოპულარულია კაცთაშორის მათი კონკურენტუნარიანობის გამო. ქალებსაც მოსწონთ სპორტი,მაგრამ მათ ურჩევნიათ ნაკლებ კონტაქტიანი სპორტის

სახეობები ისეთი როგორც ჩოგბურთი,ფიგურული სრიალი,გიმნასტიკა და **ცურვა**. ამ ბოლო წლეებში ქალები უფრო მეტად იღებენ მონაწილეობას კონტაქტურ **სპორტებში**. პენსიაზე გასულ ხახლხსაც კი უყვართ **სპორტი**, **თამაშები** როგორიცაა **გოლფი** და **შაფლბორდი** პოპულარულია ასაკოვანებს შორის. ხალხს არა მხოლოდ თამაში არამედ **სპორტის** ყურებაც უყვარს. სადაც არ უნდა გაემგზავრო ყველგან ნახავ ერთ ან ორ **ფანს** მისი საყვარელი **გუნდის** ფერებში. **სპორტის საზალელშიკო** კომერცია დიდი ინდუსტრიაა. **სპორტის მოყვარულები** ძალიან ბევრ ფულს ხარჯავენ **ბილეთებში** მათი საყვარელი **გუნდის** სანახავად. ყველაზე პოპულარული სპორტული მოვლენა **ოლიმპიური თამაშებია**. მრავალი **ათლეტი** ოცნებობს **ოლიმპიური მედლის მიღებაზე**. მიუხედავად ბევრი საერთოსა **ოლიმპიური თამაშები** ბევრად შეიცვალა წლების განმავლობაში. **ოლიმპიურ თამაშებს** მდიდარი ისტორია აქვთ და დაარსდა საბერძნეთში. **სპორტი** მნიშვნელოვან როლს თამაშობდა საბერძნეთის კულტურაში. რელიგიურ ფესტივალებშიც მნიშვნელოვან როლს თამაშოობდა და სამხედროების მომზადებისათვისაც გამოიყენებიოდა. **ოლიმპიურები სპორტული ფესტივალის** სახით დაარსდა და პოპულარული იყო ხალხთაშორის;ამ თამაშებს ოცდაათ ათასამდე **მაყურებელი** ესწრებოდა. ბერძნები ბილიკებზე და მინდვრებში ეჯიბრებოდნბენ ერთმანეთს **შუბის სროლაში,სიგრძეში ხტუნვაში,დისკოების სროლაში,სირბილში და კრივში. ყველაზე პოპულარული მოვლენა იყო ხუთჭიდი რომელიც შეიცავდა სიგრძეზე ხტომას,შუბის ტყორცნას,პაექრობას,სირბილში შეჯიბრებას და კრივს.** ოლიმპიური თამაშები და მათში შესული სპორტის სახეობები შეიცვალა პირველი თამაშების შემდეგ. თანამედროვე **ოლიმპიური თამაშები** ყოველ წელს ტარდება სხვადასხვა ქვეყნებში. ათი ათას **ათლეტზე** მეტი იღებს მონაწილეობს სამასზე მეტ **შეჯიბრში.** ერთერთი თანამედროვე სპორტის

სახეობები ოლიმპიურ თამაშებში არიან მშვილდით
სროლა,ყვინთვა,კალათბურთი,ველოსპორტი,ხელბურთი,კრივი
და თანამედროვე ხუთჭიდი, რომელიც შეიცავს
ფარიკაობას,ცურვას,საცხენოსნო სპორტს,სროლას და ქალაქში
კროსის გარბენას .

Sporti mteli istoriis ganmavlobashi ikho kulturis mnishvnelovani
natsili. Katsebi gansakutrebit arian chartulni sportshi mati
konkurentobis mokhvare bunebis gamo. Otkhi khuti tslis asakidan
bichebi tamashoben sportul tamashebs,isetebs rogoritsaa
beisboli,pekhburti da kalatburti. Isini katsdebian da mati
shejibris mokhvare buneba mattan ertad izrdeba. Kontaqturi sporti
iseti rogoritsaa amerikuli pekhburti,tsreshi burti,krivi,hokei da
chidaoba popularulia katstashoris mati konkurentunarianobis
gamo. Qalebsats mostsont sporti,magram mat urchevniat nakleb
kontaqtiani sportis sakheobebi iseti rogorts chogburti,piguruli
sriali,gimnastika da tsurva. Am bolo tsleebshi qalebi upro metad
igheben monatsileobas konaqtur sportebshi. Pensiaze gasul
khalkhsats ukhvart sporti,tamashebi rogoritsaa golpi da
shoplbordi popularulia asakovanebs shoris. Khalkhs ara mkholod
tamashi aramed sportis khurebats ukvars. Sadats ar unda
gaemgzavro khvelgan nakhav ert an or pans misi sakhvareli gundis
perebshi. Sportis sabalelshiko komertsia didi industriaa. Sportis
mokhvarulebi dzalian bevr puls kharjaven biletebshi mati
sakhvareli gundis sanakhavad. Khvelaze popularuli sportuli
movlena Olimpiuri tamashebia. Mravali atleti otsnebobs
Olimpiuri medlis mighebaze. Miukhedavad bevri saertosa
Olimpiuri tamashebi bevrad sheitsvala tslebis ganmavlobashi.
Olimpiur tamashebs mdidari istoria aqvt da daarsda
saberdznetshi. Sporti mnishvnelovan rols tamashobda saberdznetis
kulturashi. Religiur pestivalebshits mnishvnelovan rols tamashobda
da samkhedroebis momzadebisatvisats gamoikheneboda.
Olimpiurebi sportuli pestivalis sakhit daarsda da popularuli ikho
khalkhtashoris;am tamashebs otsdaat atasamde makhurebeli

estsreboda. Berdznebi bilikebze da mindvrebshi ejibrebodnen ertmanets **shubis srolashi,sigrdzeshi khtunvashi,diskoebis srolashi,sirbilshi da krivshi**,Olimpiuri tamashebi da matshi shesuli sportis sakheobebi sheitsvala pirveli tamashebis shemdeg. Tanamedrove olimpiuri tamashebi khovel tsels tardeba skhvadaskhva qvekhnebshi. Ati atas **atletze** meti ighebs monatsileobas samasze met **shejibrshi**. Erterti tanamedrove sportebis sakheobebi **Olimpiur tamashebshi** arian **mshvildit srola,khvintva,kalatburti,velosporti,khelburti,krivi** da tanamedrove **khutchidi** romelits sheitsavs **parikaobas,tsurvas satskhenosno sports,srolasa** da **qalaqshi krosis garbenas.**

11) Food
11) საჭმელი
11) Sachmeli

apple

ვაშლი

Vashli

bacon

ბეკონი

Bekoni

bagel

გამომცხვარი ხვეულა

Gamomtskhvari khveula

banana

ბანანი

Banani

beans

ლობიოს მარცვალი

Lobios martsvali

beef

ძროხის ხორცი

Dzrokhis khortsi

bread

პური

Puri

broccoli

ბროკოლი

Brokoli

brownie

შოკოლადის ნამცხვარი

Shokoladis namtskhvari

cake

ნამცხვარი

Namtskhvari

candy

კამფეტი

Kampeti

carrot

სტაფილო

Stapilo

celery

ნიახური

Niakhuri

cheese

ყველი

Khveli

Cheesecake

ხაჭოს ნამცხვარი

Khachos namtskhvari

---

chicken

წიწილა

Tsitsila

---

chocolate

შოკოლადი

Shokoladi

---

cinnamon

დარიჩინი

Darichini

---

cookie

ფუნთუშა

Puntusha

---

crackers

კრეკერები

Krekerebi

---

dip

სიტხეში ჩაშვება /სოუსი ჩიფსებისთვის

*S**i**tkheshi ch**a**shveba/sousi chipsebistvis*

---

eggplant

ბადრიჯანი

*B**a**drijani*

---

fig

ლეღვი

*L**e**ghvi*

---

fish

თევზი

*T**e**vzi*

---

fruit

ხილი

*Kh**i**li*

---

garlic

ნიორი

*N**i**ori*

---

ginger

კოჭა

*K**o**cha*

---

ham

ლორი

*L**o**ri*

---

herbs

მწვანილი

*Mtsv**a**nili*

---

honey

თაფლი

*T**a**pli*

---

ice cream

ნაყინი

*N**a**khini*

---

jelly/jam

ჟელე/მურაბა

*Jh**e**le/m**u**raba*

---

ketchup

კეჩუპი

*K**e**chupi*

---

lemon

ლიმონი

*L**i**moni*

---

lettuce

სალათა

Salata

Mahi mahi

მახი მახი(თევზი)

Makhi makhi (tevzi)

mango

მანგო

Mango

mayonnaise

მაიონეზი

Maionezi

meat

ხორცი

Khortsi

melon

ნესვი

Nesvi

milk

რძე

Rdze

mustard

მდოგვი

Mdogvi

noodles

ხვეული მაკარონი

Khveuli makaroni

nuts

თხილი/კაკალი

Tkhili/kakali

oats

შვრია

Shvria

olive

ზეთის ხილი

Zetiskhili

orange

ფორთოხალი

Portokhali

pasta

მაკარონი

Makaroni

pastry

ცომეული

Tsomeuli

---

pepper

წიწაკა/პილპილი

Tsitsaka/pilpili

---

pork

ღორის ხორცი

Ghoris khortsi

---

potato

კარტოფილი

Kartopili

---

pumpkin

გოგრა

Gogra

---

raisin

ქიშმიში

Qishmishi

---

sage

შალფეი

Shalpei

---

salad

სალათი

Salati

salmon

ორაგული

Oraguli

sandwich

ბუტერბროდი

buterbrodi

sausage

სოსისი/ძეხვი

Sosisi/dzekhvi

soup

სუპი

Supi

squash

ყაბაყი

Khabakhi

steak

ხორცის თხელი ნაჭერი

Khortsis tkheli nacheri

strawberry

მარწყვი

Martskhvi

---

spice

სუნელი

Suneli

---

steak

თხელი ნაჭერი

Tkheli nacheri

---

strawberry

მარწყვი

Martskhvi

---

sugar

შაქარი

Shaqari

---

tea

ჩაი

Chai

---

toast

შებრაწული პური

Shebratsuli puri

---

tomato

პამიდორი

Pamidori

vinegar

ძმარი

Dzmari

vegetables

ბოსტნეული

Bostneuli

water

წყალი

Tskhali

wheat

ხორბალი

Khorbali

yogurt

იოგურტი

Iogurti

Restaurants and Cafes
რესტორნები და კაფეები
Restornebi da kapeebi

a la carte

პორციული

Portsiuli

---

a la mode

თანამედროვე

Tanamedrove

---

appetizer

მადის გამომწვევი

Madis gamomtsvevi

---

bar

ბარი

Bari

---

beverage

სასმელი

Sasmeli

---

bill

ანგარიში

Angarishi

---

bistro

პატარა რესტორანი

Patara restorani

Boiled bowl

სახარში ჯამი

Sakharshi jami

---

braised

მოშუშული

Moshushuli

---

breakfast

საუზმე

Sauzme

---

brunch

ნაგვიანი საუზმე

Nagviani sauzme

---

cafe/cafeteria

კაფე/კაფეტერია

Kape/kapeteria

---

cashier

მოლარე

Molare

---

chair

სკამი

Skami

charge

ფასის დადება

Pasis dadeba

check

ჩეკი

Cheki

chef

შეფ-მზარეული

Shep-mzareuli

coffee

ყავა

Khava

Coffee shop

ყავის მაღაზია/ყავის კაფე

Khavis maghazia/khavis kape

condiments

სანელებლები

Saneleblebi

cook

მზარეული

Mzareuli

courses

კერძები

Kerdzebi

Credit card

საკრედიტო ბარათი

Sakredito barati

cup

ფინჯანი

Pinjani

cutlery

მჭრელი ინსტრუმენტი

Mchreli instrumenti

deli/delicatessen

დელიკატესი

Delikatesi

dessert

დესერტი

Deserti

dine

სადილობა

Sadiloba

diner

სასადილო/ვაგონ-რესტორანი

Sasadilo/vagon-restorani

dinner

სადილი

Sadili

dish

დიდი თეფში

Didi tepshi

dishwasher

ჭურჭლის მრეცხავი

Churchlis mretskhavi

doggie bag

ჩანთა საჭმლის ნარჩენებისათვის

Chanta sachmlis narchenebisatvis

drink

სასმელი

Sasmeli

entree

მთავარი კერძი

Mtavari kerdzi

food

საჭმელი

Sachmeli

fork

ჩანგალი

Changali

glass

ჭიქა

Chiqa

gourmet

გურმანი

Gurmani

hor d'oeuvre

მადის მომყვანი

Madis momkhvani

host/hostess

მასპინძელი კაცი/ქალი

Maspindzeli katsi/qali

knife

დანა

Dana

lunch

ლანჩი

Lanchi

maitre d'

მეტროდოტელი

Metrodoteli

manager

მეპატრონე /მმართველი

Mepatrone/ mmartveli

menu

მენიუ

Meniu

party

წვეულება

Tsveuleba

mug

ჩაის ჭიქა

Chais chiqa

napkin

ხელსახოცი

Khelsakhotsi

order

შეკვეთა

Shekveta

party

წვეულება

Tsveuleba

plate

თეფში

Tepshi

platter

ხის თეფში

Khis tepshi

reservation

დაჯავშნა

dajavshna

restaurant

რესტორანი

restorani

saucer

ჩაის თეფში

Chais tepshi

---

server/waiter/waitress

მოსამსახურე/მიმტანი კაცი/ქალი

Mosamsakhure/mimtani katsi/qali

Side order

დამატებითი კერძი

Damatebiti kerdzi

---

silverware

ვერცხლის ნივთები

Vertskhlis nivtebi

---

special

დღის კერძი

Dghis kerdzi

---

spoon

კოვზი

Kovzi

---

starters

მადის გამომწვევი

Madis gamomtsvevi

supper

ვახშამი

Vakhshami

---

tax

გადასახადი

Gadasakhadi

---

table

მაგიდა

Magida

---

tip

მომსახურეობისათვის ნაჩუქარი ფული

Momsakhureobisatvis nachuqari puli

---

to go

წასვლა

Tsasvla

---

utensils

ჭურჭელი

Churcheli

Related Verbs
დაკავშირებული ზმნები
Dakavshirebuli zmnebi

to bake

გამოცხობა

Gamotskhoba

---

to be hungry

იყო მშიერი

Ikho mshieri

---

to cook

საჭმლის მომზადება

Sachmlis momzadeba

---

to cut

გაჭრა

Gachra

---

to dine

სადილობა

Sadiloba

---

to drink

დალევა

Daleva

---

to eat

ჭამა

Chama

---

to eat out

რესტორანში ანდკაფეში ჭამა

Restoranshi an kapeshichama

To feed

გამოკვება

Gamokveba

---

to grow

იქცე /ზრდა

Iqtse/zrda

---

to have breakfast/lunch/dinner

საუზმობა/წახემსება/სადილობა

Sauzmoba/tsakhemseba/sadiloba

To make

მომზადება

Momzadeba

---

to order

შეკვეთა

Shekveta

---

to pay

გადახდა

Gadakhda

to prepare

მომზადება

Momzadeba

To request

მოთხოვნა

Motkhovna

to reserve

დაკვეთა

Dakveta

to serve

მომსახურეობა

Momsakhureoba

To set the table

სუფრის გაწყობა

Supris gatskhoba

to taste

გემოს გასინჯვა

Gemos gasinjva

John and Mary have been dating for quite some time now. Next week is their two year anniversary and John wants to make it really special. Mary really enjoys a nice **steak dinner** out, so John is going to make **reservations** at her favorite **restaurant**. She will be so surprised because they haven't eaten there in a while and she just loves their **salad** and **bread**. John calls and speaks to the **manager** ahead of time to set up the **reservation.** Finally, the day arrives and John picks Mary up at her home. She still doesn't know where they are going, but is excited for the surprise. "Where are we going? Mary asked. "I told you, it's a surprise!" said John. So Mary begins trying to guess where their surprise destination is. "Is it our favorite **diner**? I love the laid back atmosphere and the **waitress** is so nice." "Is it the **coffee shop** on the corner? You know how much I love **coffee**." They arrive at the **restaurant** and she squeals with delight at the thought of the **cheesecake** that they serve for **dessert** . The **host** greets them at the door and promptly seats them at their favorite **table** near the **bar**. It is a quiet little corner of the **restaurant**. The server greets them, lays a **napkin** and **silverware** on their **table**, and then takes their **drink order**. She offers them an **appetizer** while they wait. When the **server** returns, she begins to tell the couple about the daily **specials**. "We'll have two of your best steak **dinners**." John said, "Nothing but the best for my girl!" They are really enjoying their **gourmet meal** and the conversation is great, as always. I think we should have **dessert** for this special night. John tells the **server** that they would like a **brownie a la mode t**o share. The server brings the delicious brownie on a **plate** with two **spoons**. John and Mary both look at the **dessert** and decide they do not have room to eat it. "I think we will need that **to-go**," said Mary. While waiting for the server to pack up their **doggie bag**, John surprised Mary by getting down on his knee to propose! The whole **restaurant** was clapping; even the **dishwasher** and **cooks** came out to congratulate the couple. What a wonderful second anniversary this turned out to be for the happy couple. Now, every year on their anniversary, they **dine** at their favorite **restaurant** to celebrate such a wonderful evening.

ჯონი და მერი კარგახანს ხვდებიან ერთმანეთს. მომავალ კვირას **ორწლიანი** იუბილე ექნებათ და ჯონს სურს რომ ეს განსაკუთრებული დღე იყოს. მერის უყვარს **ხორციანი საჭმელები** და ჯონი აპირებს ადგილის **დაჯავშნას** მათ საყვარელ **რესტორანში.** მას ძალიან გაუკვირდება იმიტომ რომ იქ კარგახანს არ უსადილიათ და მას ძალიან უყვართ იქაური **სალათა და პური**. ჯონი ეგრევე ურეკავს **პატრონს** რომ **დაჯაშვნოს მაგიდა** დრო. ბოლოს,ეს დღე მოდის და ჯონი მანქანით აკიტხავს მერის. მან ჯერ არ იცის სად აპირებენ წასვლას მაგრამ **უკვე** აღელვებულია სიურპრიზის მოლოდინში."საით მივდივართ?'ეკიტხება მერი. "ხომ გითხარი რომ სიურპრიზია"იძახის ჯონი. მერი ცდილობს გამოიცნოს სად მიემართებიან. "ეს ჩვენი საყვარელი **სასადილოა**? მე მიყვარს მშვიდი ატმოსფერო და **მიმტანიც** კარგი ჰყავთ. კუთხის **ყავის კაფეა**? ხო იცი როგორ მიყვარს იქაური **ყავა**. "ისინი მივიდნენ **რესტორანთან** და ის სიხარულისაგან წივილს იწყებს რადგან იხსენებს რა გემრიელი **ხაჭოს ნამცხვარი** აქვთ დესერტად. რესტორნის **მფლობელი** ესალმებათ კარებთან და ეგრევე სვავს მათ საყვარელ **მაგიდასთან ბართან** ახლოს.ის არის **რესტორნის** მშვიდ კუტხეში. მოსამსახურე ესალმებათ,ფენს **ხელსახოცსა** და ალაგებს **ვერცხლის ინსტრუმენტებს სუფრაზე** და შემდგომ იღებს **სასმელის შეკვეთას** . ის მათ სთავაზობს **მადის გამომწვევებს** სანამ შეკვეთას ელოდებიან. როცა **მოსამსახურე** ბრუნდება უყვება **დღის კერძების** შესახებ. "ჩვენ ვუკვეთავთ **ორ** გამორჩეულ **ხორცის კერძს**".ჯონი ამბობს"ყველაფერი საუკეთესო ჩემი გოგოსათვის!" ისინი ნამდვილ სიამოვნებას იღებენ **გურმანული საკვებისაგან** და სასიამოვნო საუბარი აქვთ როგორც ყოველთვის. "მე ვფიქრობ ამ განსაკუთრებულ საღამოს **დესერტიც** უნდა მივირთვათ" ჯონი ეუბნება **მიმტანს** რომ მათ სურთ **ახალი შოკოლადის ნამცხვარი.** მას მოაქვს უგემრიელესი ნამცხვარი **თეფშითა** და ორი **კოვზით**. ჯონი და მერი უყურებენ

დესერტს და ხვდებიან რომ ველარ შეჭამენ ."მგონი ჯობია **თან წავიღოთ**"ამბობს მერი. სანამ ისინი ელოდებოდნენ მიმტანის მოსვლას **წასაღები ჩანთით საჭმლის ნარჩენებით** ჯონმა გააოცა მერი მუხლზე დაჩოქებითა და ცოლობა სთხოვა. მთელი **რესტორანი** ტაშს უკრავდა,**ჭურჭლის მრეცხავი** და **მზარეულებიც** კი გამოვიდნენ წყვილის მისალოცად. რა შესანიშნავი ორწლიანი იუბილე გახდა ეს ამ ბედნიერი წყვილისათვის. ახლა ყოველ წელს იუბილეს დღეს ისინი აღნიშნავენ საყვარელ **რესტორანში ვაშხმობით .**

Joni da Meri kargakhans khvdebian ertmanets. Momaval kviras ortsliani iubile eqnebat da Jons surs rom es gansakutrebuli dghe ikhos. Meris ukhvars **khortsianni sachmelebi** da Joni apirebs adgilis **dajashvnas** mat sakhvarel **restoranshi.** Mas dzalian gaukvirdeba imitom rom iq kargakhsans ar usadiliat da mas dzalian ukhvars iqauri **salata** da **puri.** Joni egreve urekavs **mmartvels** rom **dajavshnos magida** . Sabolood ,es dghe modis da Joni manqanit akitkhavs Meris. Man jer ar itsis sad apireben tsasvlas magram ukve aghelvebulia siurprizis molodinshi. "Sait mivdivart?"ekitkheba meri. "Khom gitkhari rom siurprizia." idzakhis Joni. Meri tsdilobs gamoitsnos sad miemartebian. "Es chveni sakhvareli **sasadiloa**? Me mikhvars mshvidi atmospero da **mimtanits** kargi hkhavt. Kutkhis **khavis kapea**? Kho itsi rogor mikhvars iqauri **khava**". Isini mividnen **restorantan** da is sikharulisagan tsivils itskhebs radgan ikhsenebs ra gemrieli **khachos namtskhvari** aqvt desertad. Restornis patroni esalmebat karebtan da egerve svavs mat sakhvarel **magidastan bartan** akhlos. Is aris **restornis** mshvid kutkheshi. Mosamsakhure esalmebat,pens **khelsakhotsa** da alagebs **vertskhlis instrumentebs supraze** da shemdgom ighebs **sasmelis shekvetas.**is mat stavazobs **madis gamomtsvevebs** sanam shekvetas elodebian. Rotsa **mosamsakhure** brundeba ukhveba **dghis kerdzebis** shesakheb "Chven vukvetavt or gamorcheul **khortsis kerdzs.**" Joni ambobs "Khvelaperi sauketeso chemi gogonastvis!" Isini namdvil siamovnebas igheben **gurmanuli**

sakvebisagan da sasiamovno saubari aqvt rogorts khoveltvis. "Me vpiqrob am gansakutrebul saghamos **desertits** unda mivirtvat". Joni eubneba **mimtans** rom mat surt **akhali shokoladis namtkhvari.** Mas moaqvs ugemrielesi namtskhvari **tepshita** da ori kovzit. Joni da Meri ukhureben **deserts** da hvdebian rom veghar shechamen." Mgoni jobia tan **tsavighot."** Ambobs Meri. Sanam isini elodebodnen mimtanis mosvlas **tsasaghebi chantit sachmlis narchenebit** jonma gaaotsa Meri mukhlze dachoqebit da tsoloba stkhova. Mteli **restorani** tashs ukravda,**churchlis mretskhavi** da **mzareulebits** ki gamovidnen tskhvilis misalotsad. Ra shesanishnavi ortsliani iubile gakhda es am bednieri tskhvilisatvis. Akhla khovel tsels iubiles dghes isini aghnishnaven sakhvarel **restoranshi vakhshmobit.**

12) Shopping
12) საყიდლებისათვის წასვლა
12) Sakhidlebisatvis tsasvla

bags

ჩანთები

Chantebi

---

bakery

საცხობი

Satskhobi

---

barcode

შტრიხ-კოდი

Shtrikh-kodi

---

basket

კალათა

Kalata

---

bookstore

წიგნების მაღაზია

Tsignebis maghazia

---

boutique

ბუტიკი

Butiki

---

browse

დათვალიერება

Datvaliereba

---

buggy/shopping cart

კალათა

Kalata

---

butcher

ხორცის გამყიდველი

Khortsis gamkhidveli

---

buy

ყიდვა

Khidva

---

cash

ნაღდი ფული

Naghdi puli

---

cashier

მოლარე

Molare

---

change

ხურდა

Khurda

---

changing room

გასასინჯი

Gasasinji

---

cheap

იაფი

Iapi

---

check

ჩეკი

Cheki

---

clearance

ანგარიშსწორება

Angarishstsoreba

---

coin

მანეთი

Maneti

---

convenience store

მარკეტი

Marketi

---

counter

დახლი

Dakhli

---

credit card

საკრედიტო ბარათი

Sakredito barati

customer

კლიენტი

Klienti

debit card

სადებეტო ბარათი

Sadebeto barati

delivery

მიტანა

Mitana

department store

უნივერმაღი

Univermaghi

discount

ფასდაკლება

Pasdakleba

drugstore/pharmacy

აფთიაქი

Aptiaqi

Electronic store

ელექტრონიკის მაღაზია

Eleqtronikis maghazia

escalator

ესკალატორი

Eskalatori

expensive

ძვირი

Dzviri

Flea market

ძონძების მაღაზია

Dzondzebis maghazia

florist

ყვავილებით მოვაჭრე

Khvavilebit movachre

grocery store

სასურსათო

Sasursato

hardware

კავეული

Kaveuli

jeweler

ოქრომჭედელი

Oqromchedeli

---

mall

სავაჭრო ცენტრი

Savachro tsentri

---

market

ბაზარი

Bazari

Meat department

ხორცის განყოფილება

Khortsis gankhopileba

Music store

მუსიკალური ინსტრუმენტების მაღაზია

Musikaluri instrumentebis maghazia

---

offer

შემოთავაზება

Shemotavazeba

Pet store

ზოომაღაზია

Zoomaghazia

purchase

შეძენა

Shedzena

purse

საფულე

Sapule

rack

ტომარა

Tomara

receipt

ქვითარი

Qvitari

return

დაბრუნება

Dabruneba

sale

გაყიდვა

Gakhidva

Salesman/person

გამყიდველი

Gamkhidveli

scale

სასწორი

Sastsori

size

ზომა

Zoma

Shelf/shelves

თარო/თაროები

Taro/taroebi

shoe store

ფეხსაცმლის მაღაზია

Pekhsatsmlis maghazia

shop

მაღაზია

Maghazia

shopping center

სავაჭრო ცენტრი

Savachro tsentri

store

მაღაზია

Maghazia

supermarket

სუპერმარკეტი

supermarketi

tailor

მკერავი

*Mk**e**ravi*

till

სალარო

*S**a**laro*

toystore

სათამაშოების მაღაზია

*S**a**tamashoebis m**a**ghazia*

wallet

კაცის საფულე

*K**a**tsis s**a**fule*

wholesale

საბითუმო ვაჭრობა

*S**a**bitumo v**a**chroba*

Related Verbs
დაკავშირებული ზმნები
Dakavshirebuli zmnebi

to buy

ყიდვა

Khidva

---

to charge

დატენვა

Datenva

To choose

არჩევა

Archeva

---

to exchange

დახურდავება

Dakhurdaveba

To go shopping

საყიდლებზე წასვლა

Sakhidlebze tsasvla

To owe

ვალდებულება

Valdebuleba

To pay

გადახდა

Gadakhda

To prefer

მჯობინება

Mjobineba

---

to return

დაბრუნება

Dabruneba

---

to save

შენახვა/დაზოგვა

Shenakhva/ dazogva

---

to sell

გაყიდვა

Gakhidva

---

to shop

საყიდლებზე გასვლა

Sakhidlebze gasvla

---

to spend

ხარჯვა

Kharjva

---

to try on

მოზომება

Mozomeba

To want

სურვილი

Survili

It was just a few weeks until Christmas and Mark needed to **purchase** a gift for his wife. He didn't know what he was going to get for her. First, he went to the **bookstore**, she loved to read books. He checked the **shelves** to see if he could find something she had not read before, but he had no luck with that. Then he decided to visit her favorite clothing **boutique**. The **salesperson** was very friendly and helpful as he shopped. She knew his wife and was able to help him with **sizes**. He **browsed** the **racks** for just the right gift, but he did not find anything he thought she would like. Besides, everything was so **expensive**! Next, he went to the **shoe store**. He looked around and just couldn't decide what to get for her, so he left that **store**. He resisted going to the **hardware store**, that is his favorite. He thought to himself, "I have to remember, I am **shopping** for my wife, not me!" He finally decided to go to the **mall**. There are plenty of **shops** there! As he walked through the **mall**, he was getting discouraged; he passed a couple of **department stores**, a **music store** and a **toy store**, but nothing seemed right. Finally, he came upon a **jeweler.** His wife loves jewelry. He approached the **counter** and began telling the **salesman** about his wife and the type of jewelry she wears. He was so excited to learn that the ring he picked out was on **sale**. The **salesman** told him the total and Mark reached for his **wallet** to get the **cash**. He asked the salesman, "Does that **price** include **tax**?" "Yes, of course", replied the **salesman**. Mark realized he didn't have enough **cash**, so he paid with his **credit card**. The salesman thanked him and gave him the ring and **receipt**. Mark was so pleased to have found a gift for his wife. He stopped by the **florist** on the way home to surprise her with some flowers. As he was leaving the **florist**, his wife called and asked him to stop by the **grocery store** on his way home. Mark decided he could get what he needed from the **convenience store**, so he stopped there, and then headed home to his wife. She was so surprised that he bought her flowers. She had a little surprise for him as well; she had stopped at the **bakery** on her way home from work. He thanked her for her thoughtful surprise. How lucky he felt to be in such a giving marriage!

შობამდე რამოდენიმე კვირარჩებოდა და მარკს სჭირდებოდა მისი ცოლისათვის საჩუქრის **ყიდვა.** არ იცოდა რა უნდა ეყიდა მისთვის. თავიდან წავიდა **წიგნების მაღაზიაში**,მას უყვარდა წიგნების კითხვა. მან გადახედა **თაროებს** რომ მოეძებნა რამე რაც მის ცოლს არ წაუკითხავს,მაგრამ არ გაუმართლა. მერე გადაწყვიტა მის საყვარელ ტანსაცმლის **ბუტიკში** შესვლა. **გამყიდველი** ძალიან მეგობრული იყო და ეხმარებოდა. ის მის ცოლს იცნობდა და შეეძლო **ზომებშიც** დაეხმარა. ის **ათვალიერებდა საკიდებს** რომ ეპოვა იდეალური საჩუქარი მაგრამ ვერაფერი იპოვა რაც მის ცოლს მოეწონებოდა. გარდა ამისა ყველაფერი ძალიან **ძვირი** იყო! შემდეგ გავიდა **ფეხსაცმლის მაღაზიაში.** იქეთ აქეთ იყურებოდა და ვერ მიიღო გადაწყვეტილება რა უნდა ეყიდა,ამიტომაც გავიდა **მაღაზიიდან.** თავი შეიკავა თავის საყვარელ **საოჯახო ტექნიკის** მასღაზიაში შესვლისაგან. თავისთავს ეუბნებოდა“უნდა მახსოვდეს რომ ცოლისათვის **ვყიდულობ** საჩუქარს და არა ჩემთვის!“ საბოლოო ჯამში გადაწყვიტა **სავაჭრო ცენტრში** წასვლა. იმედი ეცრუებოდა,ის გაცდა რამოდენიმე **განყოფილებას ,მუსიკალურ** და **სათამაშოების მაღაზიას** მაგრამ ვერაფერი ნახა. ბოლოს **ოქრომჭედელთან** მივიდა. თავის ცოლს უყვარდა სამკაულები.ის მიუახლოვდა დახლს და დაუწყო **გამყიდველს** ახსნა თუ

როგორი ტიპის სამკაულებს ატარებდა მისი ცოლი. ძალიან გაუხარდა რომ მის არჩეულ ბეჭედზე **ფასდაკლება** ყოფილა. **გამყიდველმა** უთხრა ჯამური ფასი და მარკმა okხელი წაავლო **საფულეს** **ნაღდი** **ფულის** ამოსაღებად. მან შეეკითხა გამყიდველს"ამ **ფასში** **საგადასახადოებიც** შედის?",,დიახ,რა თქმა უნდა. უპასუხა **გამყიდველმა**"მარკი მიხვდა საკმარისი **ფული** არ ჰქონდა და **საკრედიტო** **ბარათით** გადაიხადა. გამყიდველმა მადლობა მოუხადა და მისცა ბეჭედი და **ჩეკი.** მარკი ძალიან ბედნიერი იყო ცოლს საჩუქარი რომ უშოვა. გზაში გაჩერდა **ყვავილების** **მაღაზიასთან** რომ სახლში ყვავილებით მისულიყო ცოლთან. **ყვავილების** **მაღაზიიდან** რომ გადიოდა ცოლმა დაურეკა და სთხოვა სახლისკენ რომ წამოვიდოდა **ბოსტნეულის** **მაღაზიაში** რომ შესულიყო. მარკმა გადაწყვიტა რომ ყველაფრის შეძენა **გასტრონომში** შეეძლო და მერე ცოლთან წავიდოდა. მას ძალიან გაუკვირდა მან ყვავილები რომ უყიდა. ცოლმაც სიურპრიზი მოუწყო. სახლში რომ ბრუნდებოდა **საცხობში** შეიარა. მან მადლობა მოუხადა ყურადღებიანობისათვის.რა ბედნიერი იყო ასე რომ გაუმართლა ცოლქმრობაში!

Sh**o**bamde r**a**modenime kv**i**ra rch**e**boda d**a** M**a**rks sch**i**rdeboda m**i**si ts**o**lisatvis s**a**chuqris **khidva.** **A**r **i**tsoda r**a** **u**nda **e**khida m**i**stvis. T**a**vidan ts**a**vida **tsignebis** **maghaziashi,**m**a**s **u**khvarda ts**i**gnebisk**it**kha. M**a**n g**a**dakheda **taroebs** r**o**m m**o**edzebna r**a**me r**a**ts m**is** ts**o**ls **a**r ts**a**ukitkhavs ,m**a**gram **a**r g**a**umartla. M**e**re g**a**datskhvita m**i**s s**a**khvarel t**a**nsatsmlis **butikshi** sh**e**svla. **Gamkhidveli** dz**a**lian m**e**gobruli **i**kho d**a** **e**khmareboda. **I**s m**i**s ts**o**ls **i**tsnobda d**a** sh**e**dzlo **zomebshits** d**a**ekhmara.**is** **atvalierebda sakidebs** r**o**m **e**pova r**a**me **i**dealuri s**a**chuqari m**a**gram v**e**raperi **i**pova r**a**ts m**i**s ts**o**ls m**o**etsoneboda. G**a**rda **a**misa khv**e**laperi dz**a**lian dzv**i**ri **i**kho! Sh**e**mdeg g**a**vida **pekhsatsmlis maghaziashi**. **I**qet **a**qet **i**khedeboda d**a** v**e**r m**i**igho g**a**datskhvetileba r**a** **u**nda **e**khida ,**a**mitomats g**a**vida **maghaziidan.** T**a**vi sh**e**ikava t**a**vis s**a**khvarel **saojakho teqnikis** m**a**ghaziashi sh**e**svlisagan. T**a**vistavs **e**ubneboda ”**U**nda m**a**khsovdes rom tsolisatis **vkhidulob** sachuqars da ara chemtvis!" Saboloo jamshi gadatskhvita **savachro tsentrshi** tsasvla. Imedi etsrueboda ,is gatsda ramodenime **gankhopilebas, musikalur** da **satamashoebis maghazias** magram veraperi nakha. Bolos **oqromchedeltan** mivida. Tavis tsols ukhvarda samkaulebi. Is miuakhlovda dakhls da dautskho **gamkhidvels** akhsna tu rogori tipis samkaulebs atarebda misi tsoli. Dzalan gaukharda rom mis archeul bechedze **pasdakleba** khopila. **Gamkhidvelma** utkhra jamuri pasi da Markma kheli tsaavlo **sapules naghdi pulis** amosaghebad. Man sheekitkha gamkhidvels "Am **passhi sagadasakhadoebits** shedis ?" "Diakh,ra tqma unda." Upasukha **gamkhidvelma.** Marki mikhvda sakmarisi puli ar hqonda da **sakredito baratit** gadaikhada. Gamkhidvelma madloba moukhada da mistsa bechedi da **cheki.** Marki dzalian bednieri ikho tsols sachuqari rom ushova. Gzashi gacherda **khvavilebis maghaziastan** rom sakhlshi khvavilebit misulikho tsoltan. **Khvavilebis maghaziidan** rom gadioda tsolma daureka da stkhova sakhlisken rom tsamovidoda **bostneulis maghaziashi** rom shesulikho. Markma gadatskvita rom khvelapris shedzena **gastronomshi** sheedzlo da mere tsoltan tsdavidoda. Mas dzalian gaukvirda man khvavilebi rom ukhida. Tsolmats siurpizi moutskho. Sakhlsi rom brundeboda **satskhobshi** sheiara. Man madloba moukhada khuradgebianobisatvis. Ra bednieri ikho ase rom gaumartla tsolqmrobashi!

13) At the Bank
13) ბანკში
13) Bankshi

account

ანგარიში

Angarishi

APR/Annual Percentage Rate

წლიური/წლიური საპროცენტო განაკვეთი

Tsliuri/tsliuri saprotsento ganakveti

ATM/Automatic Teller Machine

გადაცემის ასინქრონული რეჟიმი.

Gadatsemis asinqronuli rejhimi

---

balance

ბალანსი

Balansi

---

bank

ბანკი

Banki

Bank charges

ბანკის საგადასახადოები

Bankis sagadasakhadoebi

Bank draft

საბანკო გეგმა

Sabanko gegma

Bank rate

საბანკო ტარიფი

Sabanko taripi

Bank statement

საბანკო ამონაწერი

Sabanko amonatseri

borrower

მსესხებელი

Mseskhebeli

bounced check

თანხის დაბრუნება ბანკის მიერ

Tankhis dabruneba bankis mier

Cardholder

ბარათის მფლობელი

Baratis mplobeli

cash

ნაღდი ფული

Naghdi puli

cashback

ბონუსი

Bonusi

check

ჩეკი

Cheki

checkbook

ჩეკის წიგნაკი

Chekis tsignaki

checking account

მიმდინარე ანგარიში

Mimdinare angarishi

collateral

მეორეხარისხოვანი

Meorekhariskhovani

commission

კომისია

Komisia

credit

კრედიტი

Krediti

credit card

საკრედიტო ბარათი

Sakredito barati

credit limit

საკრედიტო ლიმიტი

Sakredito limiti

credit rating

საკრედიტო ხარისხი

Sakredito khariskhi

currency

ვალუტა

Valuta

debt

ვალი

Vali

debit

დებეტი

Debeti

debit card

სადებეტო ბარათი

Sadebeto barati

deposit

დეპოზიტი

Depoziti

expense

გასავალი

Gasavali

fees

შესატანი

Shesatani

Foreign exchange rate

უცხოური ვალუტის კურსი

Utskhouri valutis kursi

insurance

დაზღვევა

Dazghveva

interest

პროცენტი

Protsenti

Internet banking

ინტერნეტ ბანკინგი

Internet bankingi

loan

სესხი

Seskhi

---

money

ფული

Puli

---

money market

სავალუტო ბირჟა

Savaluto birjha

---

mortgage

გირაო

Girao

NSF/Insufficient Funds

თანხის ნაკლებობა

Tankhis nakleboba

Online banking

ონლაინ ბანკინგი

Onlain bankingi

---

overdraft

კრედიტის გადაჭარბება

Kreditis gadacharbeba

---

payee

ფულის მიმღები

Pulis mimghebi

PIN number

პერსონალური საიდენტიფიკაციო ნომერი

Personaluri saidentipikatsio nomeri

register

სია

Sia

savings account

შემნახველი ანგარიში

Shemnakhveli angarishi

statement

განცხადება

Gantskhadeba

tax

საგადასახადო

Sagadasakhado

telebanking

ტელებანკინგი

Telebankingi

teller

მოლარე

Molare

---

transaction

ტრანსაქცია

Transaqtsia

---

traveler's check

სამგზავრო ჩეკი

Samgzavro cheki

---

vault

ფოლადის კამარა

Poladis kamara

---

withdraw

გატანა

Gatana

Related Verbs
დაკავშირებული ზმნები
Dakavshirebuli zmnebi

to borrow

სესხება

Seskheba

---

to cash

დახურდავება

Dakhurdaveba

to charge

დატენვა

Datenva

to deposit

შეტანა

Shetana

to endorse

დადასტურება

Dadastureba

To enter

შესვლა

Shesvla

to hold

შეკავება

Shekaveba

To insure

დაზღვევა

Dazghveva

to lend

ვალში გაცემა

Valshi gatsema

to open an account

ანგარიშის გახსნა

Angarishis gakhsna

to pay

გადახდა

Gadakhda

to save

შენახვა

Shenakhva

To spend

ხარჯვა

Kharjva

to transfer money

ფულის გადარიცხვა

Pulis gadaritskhva

to withdraw

გამოტანა

Gamotana

If you have a job, you will probably want to open a **bank account**. The two most popular **accounts** available are **checking account** and **savings account. Banks** also have many other **account** options, including **credit** lines, **money market accounts, mortgages**, etc. A **checking account** is good for your day-to-day purchases and paying your bills. You usually receive a **check card,** which works similar to a **credit card** for purchases, and a **checkbook** when you open a **checking account**. Your **check card** works like a **credit card**, however it **withdraws** money directly from your **account. Checks** are good for paying friends and family, bills, or anytime you have to mail a payment to someone. Most merchant's accept **checks** or **check cards** for payment, so you should not have a problem with everyday purchases with your **checking account**. You can also use your **debit card** to **withdraw cash** from **ATMs**; you will need to set up a **pin number** for **ATM transactions**. Make sure you keep track of your purchases and **withdrawals** using the **check register** because you don't want to be hit with **NSF fees**. As long as you **deposit** more **money** that you take out, you will be safe from **bank fees**. Many **banks** offer **Online Bill Pay**, making it very convenient for you to pay your bills from the comfort of your home, without ever needing to purchase a stamp. Another popular **bank account** is called a **savings account. A savings account** is great for long term planning. **Savings accounts** pay you **interest** on the **money** in your **account**. Different **banks** offer different **interest** rates based upon your savings habits and *balance*. This is the **account** you want to put money into and only take it out in case of emergency. **Checking** and **savings accounts** work well together and are the most common types of **bank accounts** available. Many savings accounts offer **overdraft** protection for your **checking account**. If you mess up and **withdraw** too much **money**, your **savings account** funds will step in and keep you from being charged **overdraft fees. Banks** are a safe way to save and manage your money. There are many safeguards in place to protect your **accounts**. With so many features, such as **online bill pay, telephone banking,** and **direct deposit,** the smart and efficient way to manage your money is with a **bank account**.

თუ სამსახური გაქვთ,ალბათ გენდომებათ **საბანკო ანგარიშის** გახსნა. ორი ყველაზე პოპულარული ხელმისაწვდომი **ანგარიში** არის **მიმდინარე** და **შემნახველი ანგარიშები**. **ბანკებს** აგრეთვე გააჩნიათ სხვა **საანგარიშო** პირობები,მათ შორის **საკრედიტო ხაზები**,**სავალუტო ანგარიში**,**გირაო** და ა.შ.**მიმდინარე ანგარიში** კარგია ყოველდღიური შეძენებისა და საგადასახადოების დაფარვისათვის. თქვენ ხშირად იღებთ **მიმდინარე ბარათს** რომელიც **საკრედიტო ბარათის** მსგავსად მუშაობს ვაჭრობის დროს,და **ჩეკის წიგნაკს** როცა ხსნით **მიმდინარე ანგარიშს**. თქვენი **მიმდინარე ბარათი საკრედიტოს** მსგავსია მაგრამ პირდაპირ თქვენი **ანგარიშიდან გადმოაქვს** თანხა. **ჩეკები** კარგია ოჯახის,მეგობრებისათვის ,საგადასახადოების დაფარვისათვის და ნებისმიერ დროს როცა ფულის გადაგზავნა გინდათ ვინმესთვის. სავაჭრო ცენტრების უმეტესობა იღებს **ჩეკებსა** და **საკრედიტო ბარათებს** ასე რომ არ შეგექმნებათ პრობლემა ყოველდღიურ შეძენებში თქვენი **მიმდინარე ანგარიშის** წყალობით. თქვენ აგრეთვე შეგიძლიათ **სადებეტო ბარათის** გამოყენება **აპარატიდან თანხის გამოსატანად**;თქვენ დაგჭირდებათ **პინ ნომერი ტრანსაქციებისათვის**.დარწმუნდით რომ შეამოწმეთ ყველა შეძენის და **გადარიცხვების მანიპულაცია ჩეკების რეესტრის** საშუალებით თუ არ გინდათ რომ შემდგომ **თანხის ნაკლებობის** გამო თანხა გქონდეთ **შესატანი**. სანამ თქვენ **შეიტანთ** უფრო მეტ ფულს ვიდრე **გამოიტანთ** თავისუფალი იქნებით **პროცენტის გადახდისაგან**. მრავალი **ბანკი** გთავაზობთ **ონლაინ გადასახადების დაფარვას** რაც კომფორტს გიქმნით სახლიდან გაუსვლელად საგადასახადოების დაფარვაში,ამისთვის ბეჭედის დარტყმაც არაა საჭირო. კიდევ ერთი პოპულარული **ანგარიში შემნახველი** ანგარიშია. შემნახველი **ანგარიში** კარგია ხანგრძლივი გამოყენებისათვის. **შემნახველი ანგარიში პროცენტულად** გიზრდით იმ **თანხას** რომელიც შეგაქვთ. სხვადასხვა **ბანკები** სხვადასხვა პროცენტს

გთავაზობთ თქვენი დაგროვების ჩვევებისა და ბალანსიდან გამომდინარე. ეს არის **ანგარიში** რომლის საშუალებით თქვენ გსურთ თანხის შეტანა და გამოტანა მხოლოდ უკიდურეს შემთხვევაში. **მიმდინარე** და **შემნახველი ანგარიშები** კარგად მუშაობენ ერთად და ყველაზე ხშირად გამოყენებადი ხელმისაწვდომი **ანგარიშებია.** მრავალი შემნახველი ანგარიში გთავაზობთ **კრედიტის გადაჭარბებისაგან** დაცვას თქვენი **მიმდინარე ანგარიშისათვის.** თუ თქვენ შეგეშალათ და ზედმეტი **თანხა გამოიტანეთ** ჩაირთვება თქვენი **დაგროვების ბარათის კაპიტალი** და დაგიზღვევთ **კრედიტის გადაჭარბების დაფარვისაგან.** ბანკები უსაფრთხო ხერხია თქვენი ფულის შენახვისა და მართვისათვის. მანდ ბევრი დამცავი სისტემაა თქვენი **ანგარიშების უ**საფრთხოებისათვის.**ი**სეთი პარამეტრები როგორიცაა საგადასახადოების **ონლაინ გადახდა,სატელეფონო ბანკინგი,და პირდაპირი დეპოზიტები**-ძალიან ჩქვიანური და ეფექტური ხერხია თქვენი **საბანკო ანგარიშიდან** ფულის მართვისათვის.

T**u** s**a**msakhuri g**a**qvt,**a**lbat g**e**ndomebat **sabanko angarishis** g**a**khsna. **O**ri khv**e**laze p**o**pularuli kh**e**lmisatsvdomi angarishi **a**ris **mimdinare** d**a** **shemnakhveli** angarishebi. Bankebs **a**gretve g**a**achniat skhv**a** **saangarisho** p**i**robebi,m**a**t sh**o**ris **sakredito khazebi,savaluto angarishi ,girao** d**a** a.sh. **Mimdinare angarishi** k**a**rgia kh**o**veldghiuri sh**e**dzenebisa d**a** s**a**gadasakhadoebisatvis d**a**parvisatvis. Tqv**e**n khsh**i**rad **i**ghebt **mimdinare barats** r**o**melits **sakredito baratis** msg**a**vsad m**u**shaobs v**a**chrobis dr**os**,d**a chekis tsignaks** r**o**tsa khsn**i**t **mimdinare angarishs**. Tqv**e**ni **mimdinare barati sakreditos** msg**a**vsia m**a**gram p**i**rdapir tqv**e**ni angarishidan gadmoaqvs t**a**nkha. **Chekebi** k**a**rgia **o**jakhis,m**e**gobrebisatvis,s**a**gadasakhadoebis d**a**parvis d**a** n**e**bismier dr**o**s r**o**tsa p**u**lis g**a**dagzavna g**i**ndat v**i**nmestvis. S**a**vachro ts**e**ntrebis **u**metesoba **i**ghebs **chekebsa** d**a** **sakredito baratebs** **a**se r**o**m ar sh**e**geqmnebat pr**o**blema kh**o**veldghiur sh**e**dzenebshi tqv**e**ni

mimdinare angarishis tskhalobit. Tqven agretve shegidzliat **sadebeto baratis** gamokheneba **aparatidan tankhis gamosatanad**:tqven dagchirdebat **pin nomeri transaqtsiebisatvis**. Dartsmundit rom sheamotsmet khvela shedzenis da **gadaritskhvebis manipulatsia chekebis reestris** sahualebit tu ar gindat rom shemdgom **tankhis naklebobis** gamo tankha gqondet **shesatani**. Sanam tqven **sheitant** upro met puls vidre **gamoitant** tavisupali iqnebit **protsentis gadakhdisagan**. Mravali **banki** gtavazobt **onlain gadasakhadebis daparvas** rats komports giqmnit sakhlidan gausvlelad sagadasakhadoebis daparvashi,amisatvis bechdis dartkhamats araa sachiro. Kidev erti popularuli angarishi shemnakhveli angarishia. **Shemnakhveli angarishi** kargia khangrdzlivi gamokhenebisatvis. **Shemnakhveli angarishi protsentulad** gizrdit im **tankhas** romelits shegaqvt. Skhvadaskhva **bankebi** skhvadaskhva protsents gtavazobt tqveni dagrovebis chvevebisa da balansidan gamomdinare. Es aris **angarishi** romelits sashualebit tqven gsurt tankhis shetana da gamotana mkholod ukidures shemtkhvevashi. **Mimdinare** da **shemnakhveli angarishebi** kargad mushaoben ertad da khvelaze khshirad gamokhenebadi khelmisatsvodmi angarishebia. Mravali shemnakhveli angarishi gtavazobt kreditis gadacharbebisagan datsvas da tqveni mimdinare angarishisatvis. Tu tqven shegeshalat da zedmeti **tankha gamoitanet** chairtveba tqveni **dagrovebis baratis kapitali** da dagizghvevt **kreditis gadacharbebis daparvisagan**. Bankebi usaprtkho kherkhia tqveni pulis shenakhvisa da martvisatvis. Mand bevri damtsavi sistemaa tqveni angarishebis usaprtkhoebisatvis. Iseti parametrebi rogoritsaa sagadasakhadoebis **onlain gadakhda,satelepono bankingi** da **pirdapiri depozitebi**-dzalian chkvianuri da epeqturi kherkhia tqveni **sabanko angarishidan** pulis martvisatvis.

14) Holidays
14) დღესასწაულები
14) Dghesastsaulebi

balloons

ბუშტები

Bushtebi

calendar

კალენდარი

Kalendari

celebrate

ზეიმობა

Zeimoba

celebration

ზეიმობა

Zeimoba

commemorating

აღნიშვნა

Aghnishvna

decorations

სადღესასწაულო მორთულობა

Sadghesastsaulo mortuloba

family

ოჯახი

Ojakhi

feast

ფესტივალი

Pestivali

federal

ფედერატიული

Pederatiuli

festivities

დღესასწაულობა

Dghesastsauloba

fireworks

ფეირვერკი

Peirverki

first

პირველი

Pirveli

friends

მეგობრები

Megobrebi

games

თამაში

Tamashi

gifts

საჩუქრები

Sachuqrebi

heroes

გმირები

Gmirebi

holiday

დღესასწაული

Dghesastsauli

honor

პატივისცემა

Pativistsema

national

ეროვნული

Erovnuli

parade

აღლუმი

Aghlumi

party

წვეულება

Tsveuleba

picnics

პიკნიკი

Pikniki

remember

გახსენება

Gakhseneba

resolution

რეზოლუცია

Rezolutsia

traditions

ტრადიციები

Traditsiebi

American Holidays in calendar order:

ამერიკული დღესასწაულები კალენდრის მიხედვით:

Amerikuli dghesastsaulebi kalendris mikhedvit:

New Year's Day

ახალი წლის დღე

Akhali tslis dghe

Martin Luther King Jr. Day

მარტინ ლუთერ უმცროსის დღე

Martin luter umtsrosis dghe

Groundhog Day

თახვის დღე

Takhvis dghe

Valentine's Day

ვალენტინობა

Valentinoba

St. Patrick's Day

წმინდა პატრიკის დღე

Tsminda patrikis dghe

Easter

აღდგომა

Aghdgoma

April Fool's Day

პირველი აპრილი

Pirveli aprili

Earth Day

დედამიწის დღე

Dedamitsis dghe

Mother's Day

დედის დღე

Dedis dghe

Memorial Day

მოხსენიების დღე

Mokhseniebis dghe

Father's Day

მამის დღე

Mamis dghe

Flag Day

დროშის დღე

Droshis dghe

Independence Day/July 4th

დამოუკიდებლობის დღე

Damoukideblobis dghe

Labor Day

შრომის დღე

Shromis dghe

Columbus Day

კოლუმბის დღე

Kolumbis dghe

Halloween

ჰელოუინი

Helouini

Veteran's Day

ვეტერანთა დღე

Veteranta dghe

Election Day

არჩევნების დღე

Archevnebis dghe

Thanksgiving Day
Christmas

მადლიერების დღე

შობა

Madlierebis dghe

Shoba

Hanukkah

ჰანუკა

Hanuka

New Year's Eve

ახალი წლის წინადღე

Akhali tslis tsinadghe

Related Verbs
დაკავშირებული ზმნები
Dakavshirebuli zmnebi

to celebrate

ზეიმობა

Zeimoba

To cherish

სათუთად მოვლა

Satutad movla

---

to commemorate

წლისთავის ზეიმობა

Tslistavis zeimoba

To cook

საჭმლის მზადება

Sachmlis mzadeba

---

to give

მიცემა

Mitsema

To go to

გასვლა

Gasvla

---

to honor

პატივისცემა

Pativistsema

---

to observe

დაცვა

Datsva

---

to party

ზეიმობა

Zeimoba

To play

თამაში

Tamashi

---

to recognize

ცნობა

Tsnoba

---

to remember

გახსენება

Gakhseneba

To visit

სტუმრობა

Stumroba

Many cultures and backgrounds are represented in America. With such diversity, Americans **celebrate** many **holidays** throughout the year. There are so many **holidays** on the **calendar**, there is always something to **celebrate**. In January, **New Year's Day** is a big **celebration**, but the real celebrating comes the night before; there are **fireworks** and **parties** that are broadcast all over the world. In February, we celebrate **Valentine's Day**. It is a day that most couples express their love and affection for each other with cards and gifts. In March, we celebrate **St. Patrick's Day**. Many people wear green items and celebrate Irish heritage. **Easter** is usually celebrated in April. It is a Christian **holiday**, but has also become a secular **holiday** celebrating the beginning of springtime. One of the most cherished **holidays** in America is **Mother's Day**. We honor and remember our mothers and grandmothers on this day; showering them with cards, gifts, and affection. Another big **holiday** in May is **Memorial Day**; originally declared as a day to remember our fallen **heroes** of the various branches of the United States military. It is now seen as the unofficial start of summertime and is celebrated with **picnics** and time with **family**. In June, we **celebrate Father's Day**, while it is not as popular as **Mother's Day**, the idea is the same; to **honor** and **remember** our fathers and grandfathers. In July we **celebrate Independence Day**, also known as **July 4th**. This is the day we **celebrate** our independence from England so many years ago. We **celebrate** with **fireworks** and **picnics** with **family** and **friends**. September brings **Labor Day**, the official end of summer. It was originally declared as a day to recognize the achievements of American workers in our economic successes. In October, we celebrate **Halloween**. Children dress up in their favorite costumes and go trick-or-treating for candy; many adults participate in the fun and have dress-up **parties**. In November, we celebrate **Thanksgiving Day**.. We gather with **family** and **friends** to **feast** on turkey and other comfort-type foods. In December, we **celebrate Christmas Day**. **Christmas** is a Christian **holiday** that **celebrates** the birth of Jesus Christ. It is also **celebrated** by non-Christians and has many secular-type **celebrations** and **traditions**. Santa Claus visits young children on **Christmas Eve**, leaving toys and games in their stocking. **Hanukkah** is another **holiday celebrated** in December by the Jewish community; an eight-day **holiday commemorating** the rededication of the Holy Temple in Jerusalem. This is only a handful of the **holidays celebrated** by Americans. With so many **holidays**, Americans always have a reason to celebrate; so get out the **decorations**, **balloons**, and **games** and let the **festivities** begin!

ამერიკაში ბევრი კულტურისა და წარმოშობის ადამიანია. ასეთი მრავალფეროვნებიდან გამომდინარე ამერიკელები მთელი წლის განმავლობაში **აღნიშნავენ** ბევრ **დღესასწაულს**. იმდენი **დღესასწაულია** რომ ყოველთვის რაღაცა არის **აღსანიშნი.** იანვარში,**ახალ წელს** დიდი **ზეიმობაა**,მაგრამ ნამდვილი ზეიმობა წინა ღამესაა;ბევრი **ფეირვერკი** და **წვეულებაა** რომელიც მთელ მსოფლიოში ტრანსლირდება. თებერვალში ჩვენ აღვნიშნავთ **ვალენტინობას**. ეს დღეა როდესაც შეყვარებულები ერთმანეთის მიმართ სიყვარულსა და აღტაცებას გამოხატავენ ბარათებით და საჩუქრებით. მარტში ჩვენ აღვნიშნავთ **წმინდა პატრიკის დღეს. ბევრ** ადამიანს მწვანე ტანსაცმელი აცვია და ზეიმობენ თავიანთ ირლანდიურ წარმოშობას. **აღდგომას** ძირითადად აპრილში ანიშნავენ. ეს ქრისტიანული **დღესასწაულია** მაგრამ ის გახდა საერო **დღესასწაული** რომლითაც გაზაფხულის დაწყებას ზეიმობენ. ყველაზე სათუთი **დღესასწაული დედის დღეა.ჩვენ** ვადიდებთ და ვიხსენებთ ჩვენს დედებსა და ბებიებს ამ დღეს;ვჩუქნით უამრავ ბარათს ,ყვავილსა და სიყვარულს. კიდევ ერთი მნიშვნელოვანი **დღესასწაული** მაისში **მოხსენიების დღეა.** თავდაპირველად იყო დაფუძნებული შეერთებული შტატების გარდაცვლილი სამხედრო **გმირების** მოხსენიებისათვის. ახლა კი არაოფიციალურად ზაფხულის დაწყების ზეიმობაა რომელსაც აღნიშნავენ **პიკნიკებით** და **ოჯახთან** დროის ტარებით. ივნისში ჩვენ აღვნიშნავთ **მამის დღეს**;მიუხედავად იმისა რომ ეს ზეიმობა

არაა ისეთივე პოპულარული როგორც **დედის დღე**,აზრი იგივეა-მამების და ბაბუების **დიდება** და **მოხსენიება**. ივლისში **დამოუკიდებლობის** დღეს აღვნიშნავთ,რომელიც აგრეთვე ცნობილია როგორც **4 ივლისის** დღე. ეს არის ჩვენი მრავალწლიანი დამოუკიდებლობის დღე ინგლისისაგან. ჩვენ მას **ავღნიშნავთ ფეირვერკებით** და **პიკნიკებით ოჯახის** წევრებთან და **მეგობრებთან** ერთად. სექტემბერს მოაქვს **შრომის დღე**,ზაფხულის **ოფიციალური** დამთავრება. თავდაპირველად იყო დაარსებული ამერიკელი მშრომელი კაცების ეკონომიკაში შენატანის აღსანიშნავად. **ოქტომბერში** აღვნიშნავთ **ჰელოუინს**. ბავშვები იცვამენ მათ საყვარელ კოსტუმებს და კამფეტების მოსაგროვებლად დადიან. ზევრი მოზრდილი იღებს ამ ზეიმობაში მონაწილეობას და ატარებენ კოსტუმირებულ **წვეულებებს**. ნოემბერში ჩვენ აღვნიშნავთ **მადლიერების დღეს**. ჩვენ ვიკრიბებით **ოჯახებთან** და **მეგობრებთან** და ინდაურს **მივირთმევთ** და სხვა გემრიელ კერძს. დეკემბერში ჩვენ **ავღნიშნავთ შობას. შობა** ქრისტიანული **დღესასწაულია** რომელიც **ზეიმობს** ქრისტეს შობას. მას არაქრისტიანებიც **აღნიშნავენ** და მას დაერთვის ბევრი საერო **ზეიმობა** და **ტრადიცია**. თოვლის ბაბუა მოდის ბავშვებთან **შობის წინა ღამეს** და უტოვებს თოჯინებს და სათამაშოებს წინდებში. დეკემბერში ებრაელი ხალხი **აღნიშნავს ჰანუკას;**ეს რვადღიანი **იერუსალიმის წმინდა ტაძრის დღეობაა**. ეს მხოლოდ პატარა ნაწილია დღესასწაულებს შორის რომლებსაც ამერიკელები აღნიშნავენ. ამდენი დღესასწაულით ამერიკელებს ყოველთვის აქვთ ზეიმობის მიზეზი. ასე რომ გამოიღეთ **მოსართავები , ბუშტები** და **თამაშები** და დაიწყოს მხიარულება!

Amerikashi b**e**vri k**u**lturisa d**a** ts**a**rmoshobis **a**damiania. **A**seti mr**a**valperovnebidan g**a**momdinare **a**merikelebi mt**e**li tsl**i**s g**a**nmavlobashi **aghnishnaven** b**e**vr **dghesastsauls**. **I**mdeni **dghesastsaulia** r**o**m kh**o**veltvis r**a**ghatsa **a**ris **aghsanishni**.

Ianvarshi,**akhal tsels** didi **zeimobaa**,magram namdvili zeimoba tsina ghamesaa;bevri **peirverki** da **tsveulebebia** romelirts mtel msoplioshi translirdeba. Tebervalshi chven avghnishnavt **valentinobas**. Es dghea rodesats shekhvarebulebi ertmanetis mimart sikhvarulsa da aghtatsebas gamokhataven baratebit da sachuqrebit. Martshi chven avghnishnavt **tsminda patrikis dghes**. Bevr adamians mtsvane tansatsmeli atsvia da zeimoben taviant irlandiur tsarmoshobas. **Aghdgomas** dziritadad aprilshi aghnishnaven. Es qristianuli **dghesastsaulia** magram is gakhda saero **dghesastsauli** romlitats gazapkhulis datskhebas zeimoben. Khvelaze satuti **dghesastsauli dedis dghea**. Chven vadidebt da vikhsenebt chvens dedebsa da bebiebs am dghes;vchuqnit uamrav barats,khvavilsa da sikhvaruls. Kidev erti mnishvnelovani **dghesastsauli** maisshi **mokhseniebis dghea**. Tavdapirvelad ikho dapudznebuli sheertebuli shtatebis gardatsvlili samkhedro **gmirebis** mokhseniebisatvis. Akhla ki araopitsialurad zapkhulis datskhebis zeimobaa romelsats aghnishnaven **piknikebit** da **ojakhtan** drois tarebit. Ivnisshi chven avghnishnavt **mamis dghes**;miukhedavad imisa rom es zeimoba araa isetive popularuli rogorts **dedis dghe**,azri igivea-mamebis da babuebis **dideba** da **mokhsenieba**. Ivlisshi **damoukideblobis** dghes avghnishnavt,romelits agretve tsnobilia rogorts **4 ivlisis** dghe. Es aris chveni mravaltsliani damoukideblobis dghe inglisisagan. Chven mas avghnishnavt **peirverkebit** da **piknikebit** ojakhis tsevrebtan da **megobrebtan** ertad. Seqtembers moaqvs **shromis dghe**-zapkhulis opitsialuri damtavreba. Tavdapirvelad ikho daarsebuli amerikeli mshromeli katsebis ekonomikashi shenatanis aghsanishnavad. Oqtombershi avghnishnavt **helouins.** Bavshvebi itsvamen mat sakhvarel kostumebs da kampetebis mosagroveblad dadian. Bevri mozrdili ighebs am zeimobashi monatsileobas da atareben kostumirebul **tsveulebebs.** Noembershi chven avghnishnavt **madlierebis dghes.** Chven vikrebebit **ojakhebtan** da **megobrebtan** da indaurs **mivirtmevt** da skhva gemriel kerdzebs. Dekembershi chven **avghnishnavt shobas. Shoba** qristianuli **dghesastsaulia** romelits **zeimobs** qristes shobas. Mas araqristianebits **aghnishnaven** da mas daertvis bevri saero **zeimoba** da **traditsia**. Tovlis babua modis bavshvebtan shobis tsina **ghames** dautovebs tojinebs da satamashoebs tsindebshi. Dekembershi ebraeli khalkhi aghnishnavs hanukas.

Es rvadghiani **ierusalimis tsminda tadzris dgheobaa**.es mkholod patara natsilia dghesastsaulebis shoris romlebsats amerikelebi aghnishnaven. Amdeni dghesastsaulit amerikelebs khoveltvis aqvt zeimobis mizezi. Ase rom gamoighet **mosartavebi,bushtebi** da **tamashebi** da daitskhos mkhiaruleba!

15) Traveling
15) მოგზაურობა
15) Mogzauroba

airport

აეროპორტი

Aeroporti

---

backpack

ზურგჩანთა

Zurgchanta

---

baggage

ბაგაჟი

Bagajhi

---

boarding pass

საშვი

Sashvi

---

business class

ბიზნეს კლასი

Biznes klasi

---

bus station

ავტობუსების სადგური

Avtobusebis sadguri

---

carry-on

ხელის ბარგი

Khelis bargi

Check in

რეგისტრაცია

Registratsia

coach

სამგზავრო ვაგონი

Samgzavro vagoni

cruise

ზღვით მგზავრობა

Szghvit mgzavroba

depart/departure

გამგზავრება

Gamgzavreba

destination

დანიშნულების ადგილი

Danishnulebis adgili

excursion

ექსკურსია

Ekskursia

explore

შესწავლა

Shestsavla

first class

პირველი კლასი

Pirveli klasi

flight

ფრენა

Prena

flight attendant

სტიუარდი

Stiuardi

fly

ფრენა

Prena

guide

გიდი

Gidi

highway

გზატკეცილი

Gzatketsili

hotel

სასტუმრო

Sastumro

inn

სასტუმრო

Sastumro

journey

მოგზაურობა

Mogzauroba

land

ხმელეთი

Khmeleti

landing

გადმოსხმის ადგილი

Gadmoskhmis adgili

Lift-off

ასვლა

Asvla

luggage

ბარგი

Bargi

Map

რუკა

Ruka

move

მოძრაობა

Modzraoba

motel

მოტელი

Moteli

passenger

მგზავრი

Mgzavri

passport

პასპორტი

Pasporti

pilot

პილოტი

Piloti

postcard

საფოსტო ბარათი

Saposto barati

rail

რელსი

Relsi

---

railway

რკინიგზა

Rkinigza

---

red-eye

ღამის თევით ფრენა

Ghamis tevit prena

---

reservations

დაჯავშნა

Dajavshna

---

resort

კურორტი

Kurorti

---

return

დაბრუნება

Dabruneeba

---

road

გზა

Gza

---

roam

ხეტიალი

Khetiali

safari

საფარი

Sapari

sail

გემით/ნავით წასვლა

Gemit/navit tsaasvla

seat

დასაჯდომი ადგილი

Dasajdomi adgili

sightseeing

ღირსანიშნავი ადგილების დათვალიერება

Ghirsanishnavi adgilebis datvaliereba

souvenir

სუვენირი

Suveniri

step

ნაბიჯი

Nabiji

suitcase

ჩემოდანი

Chemodani

Take off

მოგზაურობის დაწყება

Mogzaurobis datskheba

---

tour

ტური

Turi

---

tourist

ტურისტი

Turisti

---

traffic

ტრანსპორტი

Transporti

---

travel

მოგზაურობა

Mogzauroba

---

travel agent

სამოგზაურო აგენტი

samogzauro agenti

trek

ლაშქრობა

Lashqroba

---

trip

გასეირნება/ მგზავრობა

Gaseirneba/ mgzavroba

---

vacation

შვებულება

Shvebuleba

---

voyage

მგზავრობა ზღვით

Mgzavroba zghvit

Modes of Transportation
ტრანსპორტის სახეობები
Transportis sakheobebi

Airplane/plane

თვითმფრინავი

Tvitmprinavi

---

automobile

ავტომობილი

Avtomobili

---

balloon

ჰაერბურთი

Haerburti

bicycle

ველოსიპედი

Velosipedi

boat

ნავი

Navi

bus

ავტობუსი

Avtobusi

canoe

კანოე

Kanoe

car

მანქანა

Manqana

ferry

ბორანი

Borani

motorcycle

მოტოციკლეტი

Mototsikleti

motor home

ტრეილერი

Treileri

ship

გემი

Gemi

subway

მეტრო

Metro

taxi

ტაქსი

Taqsi

train

მატარებელი

Matarebeli

truck

სატვირთო მანქანა

Satvirto manqana

van

სატვირთო მანქანა

S**a**tvirto m**a**nqana

Hotels

სასტუმროები

Sastumroebi

accessible

ხელმისაწვდომი

Kh**e**lmisatsvdomi

---

airport shuttle

სააეროპორტო პატარა მატარებელი

S**a**aeroporto p**a**tara m**a**tarebeli

---

all-inclusive

ყველაფრის შემცველი

Khv**e**lapris sh**e**mtsveli

---

amenities

ხელსაყრელი პირობები

Kh**e**lsakhreli p**i**robebi

---

balcony

აივანი

**A**ivani

---

bathroom

სააბაზანო

*S**a**abazano*

---

beach

სანაპირო

*S**a**napiro*

---

beds

საწოლები

*S**a**tsolebi*

---

bed and breakfast

სასტუმრო საწოლითა და საკვებით

*S**a**stumro s**a**tsolita da s**a**kvebit*

---

bellboy/bellhop

მეკორიდორე

*M**e**koridore*

---

bill

ანგარიში

***A**ngarishi*

---

business center

ბიზნეს ცენტრი

*B**i**znes ts**e**ntri*

---

cable/satellite TV

საკაბელო ტელევიზია

Sakabelo televizia

charges (in-room)

ხარჯები (შიდა)

Kharjebi (shida)

Check-in

რეგისტრაცია

Registratsia

Check-out

გაწერა

Gatsera

concierge

კონსიერჟი

Konsierjhi

Continental breakfast

მსუბუქი საუზმე

Msubuqi sauzme

Corridor(interior)

კორიდორი/დერეფანი

Koridori / derepani

doorman

შვეიცარი

*Shv**e**itsari*

Double bed

ორადგილიანი საწოლი

***O**radgiiani s**a**tsoli*

Double room

ორადგილიანი ოთახი

O**radgiliani **otakhi

---

elevator

ლიფტი

*L**i**pti*

---

exercise/fitness room

სავარჯიშო დარბაზი

*S**a**varjisho d**a**rbazi*

---

front desk

რეგისტრატურა

*R**e**gistratura*

Full breakfast

სრული საუზმე

*Sr**u**li s**a**uzme*

---

gift shop

საჩუქრების მაღაზია

Sachuqrebis maghazia

guest

სტუმარი

Stumari

Guest laundry

სამრეცხაო სტუმრებისათვის

Samretskhao stumrebisatvis

Hair dryer

თმის საშრობი

Tmis sashrobi

high-rise

მაღლივი

Maghlivi

hotel

სასტუმრო

Sastumro

housekeeping

მომსახურეობა

Momsakhureoba

Information desk

საინფორმაციო მაგიდა

Sainpormatsio magida

inn

სასტუმრო

Sastumro

In-room

დარბაზი

Darbazi

internet

ინტერნეტი

Interneti

Iron/ironing board

უთო/საუთავებელი მაგიდა

Uto/sautavebeli magida

key

გასაღები

Gasaghebi

King bed

დიდი საწოლი

Didi satsoli

lobby

ვესტიბიული

vestibiuli

Local calls

ადგილობრივი ზარები

Adgilobrivi zarebi

lounge

დასასვენებელი ოთახი

Dasasvenebeli otakhi

luggage

ბარგი

Bargi

luxury

ფუფუნება

Pupuneba

maid

დამლაგებელი

Damlagebeli

manager

მეპატრონე/მმართველი

Mepatrone/mmartveli

meeting room

შეხვედრების ოთახი

Shekhvedrebis otakhi

Microwave oven

მიკროტალღური ღუმელი

Mikrotalghuri ghumeli

---

mini-bar

მინი-ბარი

Mini-bari

---

motel

მოტელი

Moteli

---

newspaper

გაზეთი

Gazeti

---

newsstand

კიოსკი

Kioski

---

non-smoking

არამწეველთათვის

Aramtseveltatvis

Pets/no pets

ცხოველები/ცხოველები აკრძალულია

Tskhovelebi/tskhovelebi akrdzalulia

---

pool - indoor/outdoor

აუზი შიდა/გარეთა

Auzi shida/gareta

---

porter

მებარგული

Mebarguli

---

parking

ავტოსადგომი

Avtosadgomi

Queen bed

ერთნახევრიანი საწოლი

Ertnakhevriani satsoli

---

receipt

ანგარიში

Angarishi

---

reception desk

რეგისტრატურა

Registratura

Refrigerator (in-room)

მაცივარი(ოთახის)

Matsivari

---

reservation

დაჯავშნა

Dajavshna

---

resort

კურორტი

Kurorti

---

restaurant

რესტორანი

Restorani

---

room

ოთახი

Otakhi

---

room number

ოთახის ნომერი

Otakhis nomeri

---

room service

მომსახურეობა

Momsakhureoba

Safe (in-room)

სეიფი(ოთახის)

Seipi(otakhis)

---

service charge

მომსახურეობის საფასური

Momsakhureobis sapasuri

---

shower

შხაპი

Shkhapi

Single room

ერთკაციანი ოთახი

Ertkatsiani otakhi

---

suite

აპარტამენტები

Apartamentebi

---

tax

საგადასახადო

Sagadasakhado

---

tip

მომსახურეობისათვის ნაჩუქარი ფული

Momsakhureobisatvis nachuqari puli

Twin bed

ორიანი საწოლი

Oriani satsoli

Vacancy/no vacancy

თავისუფალი ადგილი/ თავისუფალი ადგილი არ
არის

Tavisupali adgili/ tavisufali adgili ar aris

Wake-up call

ზარი ვინმეს გასაღვიძებლად

Zari vinmes gasaghvidzeblad

Whirlpool/hot tub

ჯაკუზი/ცხელი აბაზანა

Jakuzi/tskheli abazana

Wireless high-speed internet

უკაბელო-მაღალსიჩქარიანი ინტერნეტი

Ukabelo-maghalsichqariani interneti

Related Verbs
დაკავშირებული ზმნები
Dakavshirebuli zmnebi

to arrive

ჩამოსვლა

Chamosvla

To ask

შეკითხვა

Shekitkhva

---

to buy

ყიდვა

Khidva

To catch a flight

თვითმფრინავში ჩაჯდომა

Tvitmprinavshi chajdoma

---

to change

შეცვლა

Shetsvla

---

to check-in/out

დარეგისტრირება/გამოწერა

Daregistrireba/gamotsera

---

to drive

ტარება

Tareba

---

to fly

ფრენა

Prena

---

to land

დაშვება

Dashveba

---

to make a reservation

დაბრონვა/დაჯავშნა

Dabronva/dajavshna

---

to pack

ჩალაგება

Chalageba

---

to pay

გადახდა

Gadakhda

---

to rent

ქირაობა

Qiraoba

---

to see

ნახვა

Nakhva

---

to stay

დარჩენა

Darchena

---

to take off

მოგზაურობის დაწყება

Mogzaurobis datskheba

---

to travel

მოგზაურობა

Mogzauroba

To swim

ცურვა

Tsurva

Michael is young and adventurous and loves to **travel**; ever since he was a little boy, he has enjoyed the excitement of **traveling**. Whether he **travels** by **boat**, **car**, or **plane**; he always has a great time. Michael has **traveled** all over the world on **vacation**. Once, he took a **bus** from Florida to California, just to say he had done so. His wife enjoys **traveling** with Michael; however, she is not an adventurous person. She likes to **vacation** in nice, quiet places. She prefers an easy **trip** that does not require **layovers** or complicated **itineraries**. Her favorite **destination** is Hawaii, so Michael decided to take her there for their anniversary. They made their **reservations** and took a **plane** from California to Hawaii; or so they thought. That is where this **journey** begins. They bought **tickets** on the **red-eye flight** to get an early start on **vacation**. They arrived at the **airport**, got their **luggage checked-in** and with their **carry-on bags** in hand, they headed towards the **concourse**, ready to **fly** away into the sunset! They were in such a hurry to get to their **destination**; they unknowingly **boarded** the wrong **plane**. They both slept during the **flight** and when they arrived, they both felt something was not quite right; they had traveled to **Alaska**! They checked with their **travel agency** and found out there were no **flights** leaving that **airport** until the next morning. Determined to get to their **vacation** in Hawaii, the couple decided to do whatever it took to get there! They took a **ferry** to the nearest **car** rental location and decided to **drive** as much of the way as possible; they would figure the rest out later. They picked up a **map** and headed on their way. They figured they would get to do some **sightseeing** along the way, if nothing else. It was a long **drive**; they drove for hundreds of miles until they just couldn't drive anymore, so they stopped at a **hotel** to get some rest. The next morning, they **checked-out** of their **hotel room** and continued driving. Their **travel agent** called them and said that they had **coach tickets** the next morning, leaving out of LAX **airport**; they just had to be there in time. The couple made it to the **airport** with just ten minutes to spare! They finally **boarded** their **flight**, on their way to Hawaii. When they arrived at the **airport**, they were so relieved to finally be on **vacation**! They took a **shuttle** to the **resort** and finally were able to enjoy a nice, relaxing **vacation**. Of all Michael's **travels**, this was the most adventurous one yet!

მიშა ახალგაზრდა და გამბედავია და უყვარს **მოგზაურობა**; ბავშობიდან მას სიამოვნებდა **მოგზაურობა. ნავით,მანქანით** თუ **თვითმფრინავით მოგზაურობა** უწევს-ყოველთვის, კარგ დროს ატარებს. მიშას **შემოუვლია** მთელი მსოფლიო **შვებულების დროს.** ერთხელ გაყვა **ავტობუს** ფლორიდიდან კალიფორნიამდე მხოლოდ იმისთვის რომ თქვას რომ ეს შეასრულა. თავის ცოლსაც სიამოვნებს მასთან ერთად **მოგზაურობა.** მიუხედავად ამისა მასსავით გამბედავი არაა. მას უყვარს **დასვენება** კარგ მშვიდ ადგილებში. მას უყვარს **მოგზაურობა ხანგრძლივი გაჩერების** და რთული **მარშრუტის** გარეშე .მისი საყვარელი **დანიშნულების ადგილი** ჰავაია,ამიტომაც მიშამ გადაწყვიტა იქ წაეყვანა ის იუბილეს აღსანიშნავად. **დაჯავშნეს ბილეტბი** და გაყვნენ **თვოთმფრინავს** კალიფონიიდან ჰავაიში;ან ასე ეგონათ. აქ დაიწყო **მოგზაურობა.** იმ მიზნით რომ ადრევე ჩასულიყვნენ დასასვენებლად მან **შეიძინა ბილეთები ღამის** თევით რეისზე.

ისინი მივიდნენ **აეროპორტში,დაარეგისტრირეს ბარგი** და **ხელის ბარგით** გაემართნენ მთავარი **დარბაზისაკენ,** მომზადებული მზისკენ **გაფრენისათვის.** ძალიან ეჩქარებოდათ **დანიშნულების პუნქტემდე** მისვლა;შემთხვევით **ჩასხდნენ** სხვა **თვითმრინავში. ფრენის** დროს ორივეს ეძინა ,როცა ჩაფრინდნენ დაეჭვდნენ, რომ რაღაც არ იყო წესრიგში. **ალიასკაში** ჩავიდნენ. გადაამოწმეს **მოგზაურობის სააგენტოში** და აღმოაჩინეს რომ ხვალ დილამდე არ იყო სხვა **რეისი** ამ **აეროპორტიდან. ჰავაიში წასვლის** მტკიცე გადაწყვეტილებით წყვილმა ჩათვალა რომ უნდა გაეკეთებინათ ყველაფერი რათა იქ მოხვედრილიყვნენ. **ბორანით** მივიდნენ **მანქანების** გაქირავებამდე და გადაწყვიტეს იმხელა მანძილის **გავლა** რამდენიც შეეძლოთ; დანარჩენს მერე გაარკვევდნენ. აიღეს **რუკა** და დაიწყეს მოგზაურობა. ჩათვალეს რომ გზაში,სხვა თუ არაფერს-მოინახულებდნენ რამე **ღირსანიშნავ ადგილს**. დიდებული **მოგზაურობა** იყო. ასობით მილი გაიარს სანამ უკვე ველარ შეძლეს მგზავრობა,ამიტომ გაჩერდნენ **სასტუმროსთან** რომ დაესვენათ. მომდევნო დღეს **დატოვეს სტასტუმრო** და განაგრძეს მოგზაურობა. მათ დაუკავშირდა მათი **ტურისტული აგენტი** და თქვა რომ ჰქონდათ LAX აეროპორტიდან გამავალი **მატარებლის ბილეთები** მომდევნო დღისთვის. მხოლოდ არ უნდა დაეგვიანათ. წყვილმა მოასწრო მისვლა **აეროპორტში** როდესაც მატარებლის გასვლამდე 10 წუთი რჩებოდა. საბოლოოდ **ავიდნენ თვითმფრინავში** და გაემგზავრნენ ჰავაისაკენ. **აეროპორტში** მისვლისას გულზე მოეშვათ რომ საბოლოო ჯამში ჩავიდნენ **დანიშნულების პუნქტამდე. კურორტამდე პატარა მატრებელს** გაყვნენ და საბოლოოდ უფლება მიეცათ სიამოვნება მიიღონ **დასვენებისაგან**. მიშას ყველა სხვა დანარჩენ მოგზაურობათა შორის, ეს იყო განსაკუთრებითთავგადასავლიანი .

Misha akhalgazrda da gambedavia da ukhvars **mogzauroba**;bavshobidan mas siamovnebda **mogzauroba**. **Navit ,manqanit** tu **tvitprinavit mogzauroba** utsevs-khoveltvis karg dros atarebs. Mishas **shemouvlia** mteli msoplio **shvébulebis dros**. Ertkhel gakhva **avtobbus** ploridan kaliporniamde mkholod imisatvis rom tqvas rom es sheasrula. Tavsis tsolsats siamovnebs mastan ertad **mogzauroba**. Miukhedavad amisa massavit gambedavi araa. Mas ukhvars **dasveneba** karg mshvid adgilebshi. Mas ukhvars **mogzauroba khangrzlivi gacherebis** da **rtuli marshrutebis** gareshe. Misi sakhvareli **danishnulebis adgili** havaia,amitomats misham gadatskhvita iq tsaekhvana is iubiles aghsanishnavad . **Dajavshes biletebi** da gahkhvnen **tvitmprinavs** kaliporniidan havaishi;an ese egonat. Aq daitskho **mogzauroba**. Im miznit rom adreve chamosulikhvnen dasasveneblad man **sheidzina biletebi ghamis tevit** reisze. Isini mividnen aeroportshi,daaregistrires bargi da **khelis bargit** gaemartnen mtavari **darbazisaken,**momzadebuli mzisken,tbil qvekhanashi **gapreniasatvis**. Dzalian echqarebodat **danishnulebis punktamde** misvla;shemtkhvevit **chaskhdnen** skhva **tvitmprinavshi. Prenis** dros orives edzina,rotsa chaprindnen daechvdnen rom raghats ar ikho tsesrigshi. Aliaskashi chavidnen.gadaamotsmes **mogzaurobis saagentoshi** da aghmoachines rom khval dilamde ar ikho skhva **reisi** am **aeroportidan. Havaishi tsasvlis** mtkitse gadatskvetilebit tskhvilma chatvala rom unda gaeketebinat khvelaperi rata iq mokhvedrilikhvnen. **Boranit** mividnen **manqanebis** gaqiravebamde da gadatskhvites imkhela madzilis **gavla** ramdenits sheedzlot;danarchens mere gaarkvevdnen. Aighes **ruka** da daitskhes mogzauroba . Chatvales rom gzashi,skhva tu arapers-moinakhulobdnen rame **ghirsanishnav adgils.** Didebuli **mogzauroba** ikho. Asobit mili gaiares sanam ukve veghar shedzles mgzavroba,amitom gacherdnen **sastumrostan** rom daesvenat. Momdevno dghes **datoves sastumro** da ganagrdzes mgzavroba. Mat daukavshirda mati **turistuli agent**i da tqva rom hqondat LAX aeroportidan gamavali **matareblis biletebi** momdevno dghistvis. Mkholod ar unda daegvianat. Tskhvilma moastro misvla

aeroportshi r**o**desats m**a**tareblis g**a**svlamde ati ts**u**ti rch**e**boda. S**a**bolood **a**vidnen tv**i**tmprinavshi d**a** g**a**emgzavrnen H**a**vaisken. **A**eroportshi m**i**svlisas g**u**lze m**o**eshvat r**o**m s**a**boloo j**a**mshi ch**a**vidnen **danishnulebis punktamde**. **Kurortamde patara matarebels** g**a**khvnen d**a** s**a**bolood **u**pleba m**i**etsat s**i**amovneba m**i**ighon **dasvenebisagan**. M**i**shas khv**e**la skhv**a** d**a**narchen m**o**gzaurobata sh**o**ris,**e**s **i**ko g**a**nsakutrebit tavgadasavliani.

16) School
16) სკოლა
16) Skola

arithmetic

არითმეტიკა

Aritmetika

assignment

განაწილება

Ganatsileba

atlas

ატლასი

Atlasi

backpack

ზურგჩანთა

Zurgchanta

binder

ამკინძავი

Amkindzavi

blackboard

დაფა

Dapa

book

წიგნი

Tsigni

book bag

წიგნის ჩანთა

Tsignis chanta

bookcase

წიგნების კარადა

Tsignebis karada

bookmark

სანიშნი

Sanishni

calculator

კალკულატორი

Kalkulatori

calendar

კალენდარი

Kalendari

chalk

ცარცი

Tsartsi

chalkboard

დაფა

Dapa

chart

ცხრილი

Tskhrili

Class clown

კლასის მასხარა

Klasis maskhara

class

კლასი

Klasi

classmate

კლასელი

Klaseli

classroom

საკლასო ოთახი

Saklaso otakhi

clipboard

პატარა დაფა

Patara dapa

coach

რეპეტიტორი

Repetitori

colored pencils

ფერადი ფანქრები

Peradi panqrebi

compass

კომპასი

Kompasi

computer

კომპიუტერი

Kompiuteri

Composition book

თემების წიგნი

Temebis tsigni

construction paper

ფერადი ქაღალდი

Peradi kaghaldi

crayons

ფერადი ცარცი

Peradi tsartsi

desk

მერხი

Merkhi

dictionary

ლექსიკონი

Leqsikoni

diploma

სიგელი

Sigeli

dormitory

საერთო საცხოვრებელი

Saerto satskhovrebeli

Dry-eraseboard

მშრალად წასაშლელი დაფა

Mshralad tsasashleli dapa

easel

მოლბერტი

Molberti

encyclopedia

ენციკლოპედია

Entsiklopedia

English

ინგლისური

Inglisuri

---

eraser

საშლელი

Sashleli

---

exam

გამოცდა

Gamotsda

---

experiment

ცდა

Tsda

Flash cards

ფლეშ-ბარათები

Plesh- baratebi

---

folder

ბროშურა

Broshura

---

geography

გეოგრაფია

Geograpia

globe

გლობუსი

Globusi

glossary

ლექსიკონი

Leksikoni

glue

წებო

Tsebo

gluestick

ქაღალდის წებო

Qaghaldis tsebo

grades (A,B,C,D,F)

ნიშნები(10,9,8,7,6...)

Nishnebi(atiani,tskhriani,rviani,shvidiani,eqvsiani)

passing

ჩაბარება

Chabareba

failing

გამოცდის ჩაგდება

Gamotsdis chagdeba

gym

სპორტული დარბაზი

Sportuli darbazi

---

headmaster

დირექტორი

Direqtori

---

highlighter

მარკერი

Markeri

---

history

ისტორია

Istoria

---

homework

საშინაო დავალება

Sashinao davaleba

---

ink

მელანი

Melani

---

janitor

დარაჯი

Daraji

---

kindergarten

საბავშვო ბაღი

*S**a**bavshvo b**a**ghi*

---

keyboard

კლავიატურა

*Kl**a**viatura*

---

laptop

ლეპტოპი

*L**e**ptopi*

---

lesson

გაკვეთილი

*G**a**kvetili*

---

library

ბიბლიოთეკა

*B**i**blioteqa*

---

lockers

ჩასაკეტი კარადები

*Ch**a**saketi karadebi*

---

lunch box/bag

კონტეინერი

*K**o**nteineri*

---

map

რუკა

Ruka

markers

მარკერი

markeri

math

მათემატიკა

Matematika

notebook

რვეული

Rveuli

notepad

ბლოკნოტი

Bloknoti

office

კანცელარია

Kantselaria

paper

ქაღალდი

Qaghaldi

paste

წებო

Tsebo

pen

კალამი

Kalami

pencil

ფანქარი

Panqari

Pencil case

პენალი

Penali

pencil sharpener

სათლელი

Satleli

physical education/PE

ფიზიკური განათლება

pizikuri ganatleba

portfolio

პორტფელი

Potrpeli

poster

პლაკატი

Plakati

---

principal

დირექტორი

Direqtori

---

professor

პროფესორი

Propesori

---

project

პროექტი

Proeqti

---

protractor

ტრანსპორტირი

Transportiri

---

pupil

მოსწავლე

Mostsavle

---

question

შეკითხვა

Shekitkhva

quiz

ტესტირება

Testireba

read

კითხვა

Kitkhva

reading

კითხვა

Kitkhva

recess

არდადეგები

Ardadegebi

ruler

სახაზავი

Sakhazavi

science

მეცნიერება

Metsniereba

scissors

მაკრატელი

Makrateli

semester

სემესტრი

Semestri

stapler

სტეპლერი

Stepleri

student

მოსწავლე

Mostsavle

tape

ლენტი

Lenti

teacher

მასწავლებელი

Mastsavlebeli

test

ტესტი

Testi

thesaurus

განმარტებითი ლექსიკონი

Ganmartebiti leqsikoni

vocabulary

ლექსიკონი

Leqsikoni

---

watercolours

აკვარელები

Akvarelebi

---

whiteboard

თეთრი დაფა

Tetri dapa

---

write

წერა

Tsera

Related Verbs

დაკავშირებული ზმნები

Dakavshirebuli zmnebi

---

to answer

პასუხის გაცემა

Pasukhis gatsema

---

to ask

კითხვის დასმა

Kitkhvis dasma

To draw

ფანქრით ხატვა/ხაზვა

Panqrit khatva/khazva

to drop out

გარიცხვა

Garitskhva

To erase

წაშლა

Tsashla

to fail

გამოცდის ჩაგდება

Gamotsdis chagdeba

to learn

შესწავლა

Shestsavla

to pass

ჩაბარება

Chabareba

to play

თამაში

Tamashi

to read

კითხვა

Kitkhva

to register

დარეგისტრირება

Daregistrireba

To show up

გამოჩენა

Gamochena

To sign up

დარეგისტრირება

Daregistrireba

to study

სწავლა

Stsavla

to teach

სწავლა

Stsavla

to test

ტესტირება

Testireba

to think

ფიქრი

Piqri

---

to write

წერა

Tsera

Heather is five years old and has always enjoyed being home with her mom every day. She heard that she would be starting **school** soon and was nervous about it. Summer was coming to an end and Heather was really starting to get anxious about the start of the **school** year. This will be her first and she is unsure about what to expect. She was excited, yet nervous to leave her mom all day. Her mom took her **school supply** shopping on the Saturday before school was to start. She had her list of **school supplies** and was very overwhelmed by all the things in the store. There are so many things on the list, she doesn't know where to start; **crayons**, **paper**, **markers**, **glue**, and more! Heather's mom told her she would need something to put all this stuff in, so she picked out a nice **backpack** with her favorite cartoon cat on it; it also had a matching **lunch bag**! Her mom told her she would also need to get some new clothes because every little girl needs new clothes for the first day of **school**. On the way home from shopping, Heather questioned her mom about **school;** she was getting very excited because she wondered what she would be doing with all this stuff! The first day of **school** finally came and Heather's mom took her to register for the first day of **Kindergarten**. The first stop was the **office**, she met a very nice lady, the **school secretary**, and she also met a handsome gentleman who said he was the **principal** of the **school**. She wasn't sure what that meant, but he must be important. Once everything was settled in the **office**, her mom took her to her new **classroom**. When she walked in, she couldn't believe her eyes; it was amazing! There was a big **chalkboard** on the wall, rows of **desks**, colorful **charts** and **maps**, even some games and **books**. She really likes games and **books**, so she started to relax a bit. Then, she saw her new **teacher**; she was a nice lady, smiling and being very polite. Heather then realized she would be okay. She sent her mom on her way and told her she would see her this afternoon after **school.** She was ready to learn to **read** and **write**, do **math** and **science**; she was not nervous anymore! That day she made several new friends and really liked her **teacher**. They had **English** and **Math**; she even got to paint using her new **watercolors**. Heather decided she loved **school** and wanted to come back every day!

ჰეზერი ხუთი წლისაა და ყოველთვის უყვარდა დედამისთან ყოფნა სახლში.მან გაიგო რომ მალე **სკოლაში** სიარულს იწყებს რის გამოც ძალიან ნერვიულობს. ზაფხული დასასრულს უახლოვდებოდა და ჰეზერი ძალიან განიცდიდა **სასწავლო** წლის დაწყებას. ეს მისი პირველი წელი იქნება სკოლაში და არ იცოდა რა ელოდებოდა. აღელვებული იყო და ნერვიულობდა რომ დედას მარტო დატოვებდა მთელი დღით. შაბათს,სანამ სკოლა დაიწყებოდა, დედამ წაიყვანა **სასკოლო ნივთების** საყიდლად. მას ჰქონდა ნივთების სია და გაოგნებული იყო მაღაზიაში არსებული ნივთების რაოდენობით. იმდენი საგანი იყო სიაში არ იცოდა საიდან დაეწყო. **ფერადი ფანქრები,ქაღალდი,მარკერები,წებო** და მრავალი სხვა!ჰეზერის დედამ თქვა რომ მას სჭირდებოდა რამე ამ ნივთების ჩასადებად და მან აირჩია მშვენიერი **ზურგჩანთა** მისი საყვარელი მულტფილმის კატით; მას აგრეთვე ჰქონდა შესაფერისი **ლანჩის ჩანთა!**დედამ აგრეთვე უთხრა რომ მას დასჭირდებოდა ახალი ტანსაცმელი რადგან ყველა გოგოს სჭირდებოდა ახალი ტანსაცმელი **სკოლაში** პირველი დღისათვის. სახლისკენ რომ მიდიოდნენ ჰეზერი ეკითხებოდა დედამის **სკოლის** შესახებ;ძალიან აღელვებული იყო რადგან ფიქრობდა იმაზე თუ

რა მოუხერხოს ამ ყველა ნივთს. სწავლის პირველი დღე მოვიდა და ჰეზერის დედამ ის წაიყვანა **ნულოვან კლასში (საბავშო ბაღში)** პირველი დღის დასარეგისტრირებლად. თავიდან მივიდნენ **კანცელარიაში**,იქ დახვდათ სასიამოვნო **ქალბატონი,სკოლის მდივანი**,და ლამაზი კაცი,რომელიც გაეცნო, როგორც **სკოლის დირექტორი.** მან ამ სიტყვის მნიშვნელობა არ იცოდა, მაგრამ ჩათვალა, რომ მნიშვნელოვანი პიროვნება იყო. **კანცელარიაში** ყველაფერი რომ მოაგვარეს,დედამ წაიყვანა **კლასში.** კლასში შესვლისას აღფრთოვანებული დარჩა! კედელზე იყო **დაფა, მერხების რიგები ,ფერადი ცხრილები და რუკები,თამაშები და წიგნებიც** კი. მას ძალიან უყვარს **თამაშები** და **წიგნები** და ამიტომ ცოტა დამშვიდდა. შემდეგ თავისი ახალი **მასწავლებელი** ნახა;ის სასიამოვნო ქალბატონი აღმოჩნდა, იღიმოდა და ძალიან ზრილობიანად იქცეოდა. ჰეზერი მიხვდა რომ აქ კარგად იქნებოდა. დედა გააგზავნა სახლში და უთხრა რომ ნახავდა მას შუადღეს **სკოლის** შემდეგ. მზად იყო ესწავლა კითხვა და **წერა,მათემატიკა** და **ბუნება** ;აღარ ნერვიულობდა! იმ დღეს რამდენიმე მეგობარი შეიძინა და შეუყვარდა თავისი **მასწავლებელი.** მათ ჩაუტარდათ **ინგლისური** და **მათემატიკა**;მან დახატა კიდევაც და გამოიყენა თავისი **აკვარელები**! ჰეზერმა ჩათვალა, რომ **სკოლა** მოსწონდა და გადაწყვიტა ყოველ დღე სიარული.

H**e**zeri kh**u**ti tsl**i**saa d**a** kh**o**veltvis **u**khvarda d**e**damistan kh**o**pna s**a**khlshi. M**a**n g**a**igo r**o**m m**a**le **skolashi** s**i**aruls **i**tskhebs r**i**s g**a**mots dz**a**lian n**e**rviulobda. Z**a**pkhuli d**a**sasruls **u**akhlovdeboda d**a** H**e**zeri dz**a**lian g**a**nitsdida **sastsavlo** tsl**i**s d**a**tskhebas. **E**s m**i**si p**i**rveli ts**e**li **i**qneba skolashi d**a** **a**r **i**tsoda r**a** **e**lodeboda. **A**ghelvebuli **i**kho d**a** n**e**rviulobda r**o**m d**e**das m**a**rto d**a**tovebda mt**e**li dgh**i**t. Sh**a**bats,s**a**nam sk**o**la d**a**itskheboda,d**e**dam ts**a**ikhvana **saskolo nivtebis** s**a**khidlad. M**a**s hq**o**nda n**i**vtebis s**i**a d**a** g**a**ognebuli **i**kho m**a**ghaziashi **a**rsebuli n**i**vtebis r**a**odenobit. **I**mdeni s**a**gani **i**kho s**i**ashi ar itsoda saidan daetskho. **Peradi panqrebi,qaghaldi,markerebi,tsebo** da mravali skhva! Khezeris dedam tqva rom mas schirdeboda rame am nivtebis chasadebad da man airchia mshvenieri **zurgchanta** misi sakhvareli multpilmis katit;mas agretve hqonda shesaperisi **lanchis chanta!** Dedam agretve utkhra rom mas daschirdeboda akhali tansatsmeli radgan khvela gogos schirdeboda akhali tansatsmeli **skolashi** pirveli dgisatvis. Sakhlisken rom midiodnen Hezeri ekitkheboda dedamis **skolis** shesakheb. Dzalian aghelvebuli ikho radgan piqrobda imaze tu ra moukherkhos am khvela nivts. Stasvlis pirveli dghe movida da Hezeris dedamis tsaikhvana **nulovan klasshi(sabavshvo baghshi)**pirveli dgis dasaregistrireblad. Tavidan mividnen **kantselariashi**,iq dakhvdat sasiamovno **qalbatoni,skolis mdivani**,da lamazi katsi,romelits gaetsno,rogorts **skolis direqtori**. Man am sitkhvis mnishvneloba ar itsoda,magram chatvala ,rom mnishvnelovani pirovneba ikho. **Kantselariashi** khvelaperi rom moagvares,dedam tsaikhvana **klasshi.** Klashi shesvlisas aghprtovanebuli darcha! Kedelze iko **dapa,merkhebis rigebi,peradi tskhrilebi** da **rukebi,tamashebi** da **tsignebits** ki. Mas dzalian ukhvars **tamashebi** da **tsignebi** da amitom tsota damshvidda. Shemdeg tavisi akhali **mastsavlebeli** nakha;is sasiamovno qalbatoni aghmochnda, ighimoda da dzalian zrdilobianad iqtseoda. Hezeri mihvda rom aq kargad iqneboda. Deda gaagzavna sakhlshi da utkhra rom nakhavda mas shuadghes **skolis** shemdeg. Mzad ikho estsavla kitkhva da **tsera,matematika** da **buneba**;aghar nerviulobda! Im dghes ramdenime megobari sheidzina da sheuyvarda tavisi **mastsavlebeli**. Mat chautardat inglisuri da **matematika**;man dakhata kidevats da gamoikhena tavisi **akvarelebi**. Hezerma chatvala rom **skola** mostsonda da gadatskhvita khoveldghe siaruli.

17) Hospital
17) საავადმყოფო
17) Saavadmkhopo

ache

ტკივილი

Tkivili

acute

მწვავე

Mtsvave

allergy/allergic

ალერგია/ალერგიული

Alergia/alergiuli

ambulance

სასწრაფო დახმარების ეტლი

Sastsrapo dakhmarebis etli

amnesia

ამნეზია

Amnezia

amputation

მოკვეთა

Mokveta

anaemia

ანემია

***A**nemia*

---

anesthesiologist

ანესთეზიოლოგი

***A**nesteziologi*

---

antibiotics

ანტიბიოტიკები

***A**ntibiotikebi*

Anti-depressant

ანტიდეპრესანტი

***A**ntidepresanti*

---

appointment

ექიმთან ვიზიტი

***E**qimtan v**i**ziti*

---

arthritis

არტრითი

***A**rtriti*

---

asthma

ასთმა

***A**stma*

---

bacteria

ბაქტერია

Baqteria

bedsore

ნაწოლი

Natsoli

biopsy

ბიოფსია

Biopsia

blood

სისხლი

Siskhli

Blood count

სისხლის ანალიზი

Siskhlis analizi

blood donor

სისხლის დონორი

Siskhlis donori

blood pressure

წნევა

Tsneva

blood test

სისხლის ანალიზი

Siskhlis analizi

---

bone

ძვალი

Dzvali

---

brace

კავი

Kavi

---

bruise

სისხლჩაქცევა

Siskhlchaqtseva

Caesarean section /C-section

საკეისრო კვეთა

Sakeisro kveta

---

cancer

კიბო

Kibo

---

cardiopulmonary resuscitation/CPR

გულ-ფილტვის რეანიმაცია

Gul-piltvis reanimatsia

---

case

შემთხვევა

*Sh**e**mtkhveva*

---

cast

თაბაშირი

*T**a**bashiri*

---

chemotherapy

ქიმიოთერაპია

*Q**i**mioterapia*

---

coroner

გამომძიებელი

*G**a**momdziebeli*

---

critical

კრიტიკული

*Kr**i**tikuli*

---

crutches

ყავარჯენი

*Kh**a**varjeni*

---

cyst

კისტა

*K**i**sta*

---

deficiency

უკმარისობა

Ukmarisoba

dehydrated

დეჰიდრირებული

Dehidrirebuli

diabetes

დიაბეტი

Diabeti

diagnosis

დიაგნოზი

Diagnozi

dietician

დიეტოლოგი

Dietologi

disease

დაავადება

Daavadeba

doctor

ექიმი

Eqimi

emergency

უკიდურესობა

Ukiduresoba

ER

სასწრაფო

Sastsrapo

---

exam

გასინჯვა

Gasinjva

---

fever

ცხელება

Tskheleba

---

flu (influenza)

გრიპი

Gripi

---

fracture

მოტეხილობა

Motekhiloba

---

heart attack

გულის შეტევა

Gulis sheteva

---

hematologist

ჰემატოლოგი

*H**e**matologi*

---

hives

გამონაყარი

*G**a**monakhari*

---

hospital

საავადმყოფო

*S**a**avadmkhopo*

---

illness

ავადმყოფობა

***A**vadmkhopoba*

---

imaging

რენთგენის გადაღება

*R**e**ntgenis g**a**dagheba*

---

immunization

იმუნიზაცია

***I**munizatsia*

---

infection

ინფექცია

***I**npeqtsia*

Intensive Care Unit (ICU)

ინტენსიური თერაპიის განყოფილება

I*ntensiuri t****e****rapiis g****a****nkhopileba*

IV

ინტრავენური

I*ntravenuri*

---

laboratory (lab)

ლაბორატორია

*L****a****boratoria*

---

life support

სიცოცხლის მხარდაჭერა

*s****i****tsotskhlis mkhardachera*

---

mass

მასა

*M****a****sa*

---

medical technician

ლაბორანტი

*L****a****boranti*

---

neurosurgeon

ნეიროქირურგი

*N****e****iroqirurgi*

---

nurse

ექთანი

Eqtani

operating room OR

საოპერაციო

Saoperatsio

operation

ოპერაცია

Operatsia

opthalmologist

თვალის ექიმი

Tvalis eqimi

orthopedic

ორთოპედია

Ortopedia

pain

ტკივილი

Tkivili

patient

პაციენტი

Patsienti

pediatrician

პედიატრი

Pediatri

---

pharmacist

ფარმაცევტი

Parmatsevti

---

pharmacy

აფთიაქი

Aptiaqi

---

physical Therapist

ფიზიოთერაპევტი

Pizioterapevti

---

physician

მკურნალი/ექიმი

Mkurnali/eqimi

---

poison

შხამი

Shkhami

---

prescription

რეცეპტი

Retsepti

---

psychiatrist

ფსიქიატრი

Psiqiatri

---

radiologist

რადიოლოგი

Radiologi

---

resident

რეზიდენტი

Rezidenti

---

scan

შეთვალიერება

Shetvaliereba

---

scrubs

ქირურგის ხალათი

Qirurgis khalati

---

shot

გადაღება

Gadagheba

---

side effects

გვერდითი მოვლენები

Gverditi movlenebi

---

specialist

სპეციალისტი

Spetsialisti

stable

სტაბილური

Stabiluri

surgeon

ქირურგი

Qirurgi

symptoms

სიმპტომები

Simptomebi

therapy

თერაპია

Terapia

treatment

მკურნალობა

Mkurnaloba

vein

ვენა

Vena

visiting hours

ნახვის საათები

Nakhvis saatebi

visitor

მნახველი

Mnakhveli

wheelchair

ინვალიდის ეტლი

Invalidis etli

x-ray

რენტგენი

Rentgeni

Related Verbs
დაკავშირებული ზმნები
Dakavshirebuli zmnebi

To bring

მოყვანა

Mokhvana

to cough

ხველა

Khvela

to examine

დათვალიერება

*D**a**tvaliereba*

---

to feel

გრძნობა

*Grdzn**o**ba*

---

to give

მიცემა

*M**i**tsema*

---

to hurt

ტკენა

*Tk**e**na*

---

to prescribe

რეცეპტის გამოწერა

*R**e**tseptis g**a**motsera*

---

to scan

შეთვალირება

*Sh**e**tvaliereba*

---

to take

მიღება

*M**i**gheba*

---

to test

შემოწმება

Shemotsmeba

to treat

მკურნალობა

Mkurnaloba

to visit

ნახვა

Nakhva

to wait

ლოდინი

Lodini

To x-ray

რენტგენის გადაღება

Rentgenis gadagheba

James was a happy, **healthy** ten year old boy who loved sports and riding his bike; but one day that all came to a halt. James had been complaining that his back was hurting. The **pain** was so bad one morning; he couldn't even get out of bed. His mom decided to take him to the **emergency room** to get **examined** by a **doctor**. The **nurses** were very friendly and their number one priority was making sure James was not in **pain** and could rest comfortably. The **doctor** decided to order an **x-ray** of his back. The **radiologist** read the report; he and the **ER doctor** agreed that James had an unknown **mass** on his spine. James was immediately admitted to the **hospital** for **blood tests**. The **blood tests** did not reveal the cause of the

mass, so the **pediatrician** overseeing his **case** decided he needed some more extensive **imaging tests**, as well as a **biopsy**. James was nervous because so many **doctors** were coming to see him; an **orthopedic doctor**, a **neurosurgeon,** and a **hematologist.** The **nurses** did a good job at keeping his mind at ease. They brought him movies and video games to play to keep him busy. He had many **visitors**; friends and family members came to see him. He loved the visits with the **therapy** dogs the most; they were such comforting and sweet dogs. They had so many activities and fun for the **patients** at the children's **hospital**. James was a real trooper when they had to take **blood** and put his **IV** in his arm. James spent twelve days in the **hospital** before they finally **diagnosed** him with a **bone infection**. The **physical therapist** fit him with a back brace and he was **prescribed antibiotics**. After undergoing multiple **blood tests**, **image scans**, and a **biopsy**, James was ready to go home. He was not able to do the normal things other kids could do because of the damage to his spine, but he was so happy to be home with his family and on the mend from his terrible back **infection**. After several months of **treatment** and spinal **surgery** to straighten his back, James is now a strong, healthy, and happy boy. Through it all; the t**reatments, tests, hospital** stays, and **therapy**, James has been an inspiration and hero to many who walked this journey with him.

ჯეიმსი იყო ბედნიერი, **ჯანმრთელი** ათი წლის ბიჭი რომელსაც უყვარდა სპორტი და ველოსიპედით სიარული,მაგრამ ერთ დღეს ეს ყველაფერი დასრულდა. ჯეიმსი ზურგის ტკივილს უჩიოდა. ერთ დღეს **ტკივილი** ისეთი ძლიერი იყო რომ საწოლიდან ვერ ადგა. დედამისმა გადაწყვიტა **საავადმყოფოს მიმღებ ოთახში** წაეყვანა, რათა **ექიმს გამოეკვლია. ექთნები** აღმოჩნდნენ ძალიან მეგობრულები და ჯეიმსს ამშვიდებდნენ იმით, რომ სამომავლოდ აღარ იგრძნობდა **ტკივილს** და შეძლებდა დასვენებას. **ექიმმა** გადაწყვიტა მისთვის ზურგის **რენტგენის** გადაღება. **რადიოლოგმა** გადახედა პასუხებს და **ექიმი** დაეთანხმა რომ ჯეიმსს ჰქონდა უცნაური **წარმონაქმნი**

ხერხემალზე. ჯეიმსი სასწრაფოდ გაუშვეს **საავადმყოფოში სისხლის ანალიზის** ასაღებად. **სისხლის ანალიზმა** არ აჩვენა **წარმონაქმნის** მიზეზი,**პედიატრმა** გადახედა მის **შემთხვევას** და ჩათვალა საჭიროდ მისთვის კიდე ერთი **რენტგენის და ბიოფსიის** გაკეთება. ჯეიმესი ნერვიულობდა რადგან ბევრი **ექიმი** მოდიოდა მის სანახავად,**ორთოპედი,ნეიროქირურგი და ჰემატოლოგი. ექთნები** მას ამშვიდებდნენ. მათ მოუტანეს ფილმები და ვიდეო თამაშები გასართობად. მასთან ბევრი **მნახველი** მოდიოდა;მეგობრები და **ოჯახის** წევრები მოდიოდნენ მის სანახავად. განსაკუთრებით უყვარდა როდესაც ექიმებს **სპეციალურად გაწვრთნილი ძაღლები** მოჰყავდათ;ისინი კარგად ამშვიდებდნენ მას და თან საყვარლები იყვნენ. **საბავშვო ჰოსპიტალში** ბევრი გასართობი იყო. **პაციენტებითვის.** ჯეიმსმა გმირულად გაუძლო **სისხლის ანალიზის** აღებას და **ინტრავენურის ჩადგმას.** ჯეიმსმა გაატარა თორმეტი დღე საავადმოფოში სანამ **ძვლის ინფექცია** არ **დაუდგინეს. ფიზიოთერაპევტმა** ბანდაჟი გაუკეთა და **ანტიბიოტიკები გამოუწერა.** რამოდენიმე განმეორებითი **სისხლის ანალიზის,რენტგენის გადაღებისა** და **ბიოფსიის** შემდეგ ჯემსი მზად იყო სახლში წასასვლელად, ხერხემლის დაავადების გამო მას არ შეეძლო სხვა ბავშვების მსგავსად მოქცევა, თუმცა მას უხაროდა სახლში დაბრუნება, **ოჯახთან** ყოფნა და საშინელ ზურგის ინფექციის გადალახვა. **მკურნალობის** რამდენიმე თვის და ზურგის გასასწორებელი ხერხემლის **ოპერაციის** შემდეგ ჯეიმსი ჩამოყალიბდა ძლიერ ჯანმრთელ და ბედნიერ ყმაწვილად. **მკურნალობის,ანალიზების** და **ჰოსპიტალში** ხანგრძლივი ყოფნის დროს ჯეიმსი გმირულად იქცეოდა და ძალას აძლევდა მათ, ვინც მასთან ერთად ამ გზას გადიოდა.

J**e**imsi **i**kho b**e**dnieri,**janmrteli a**ti tsl**i**s b**i**chi r**o**melsats **u**khvarda sp**or**ti d**a** v**e**losipedit s**i**aruli,m**a**gram **e**rt dg**e**s **e**s khv**e**laperi d**a**srulda. J**e**imsi z**u**rgis tk**i**vils **u**chioda. **E**rt dgh**e**s **tkivili i**seti dzl**i**eri ikho rom satsolidan ver adga. Dedamisma gadatskvita **saavadmkhopos mimgheb otakhshi** tsaekhvana rata **eqims gamoekvlia.** Eqtnebi **aghmochndnen megobrulebi da** Jeims amshvidebdnen imit rom samomavlod aghar igrdznobda **tkivils** da shedzlebda dasvenebas. Eqimma gadatskhvita mistvis zurgis **rentgenis** gadagheba. **Radiologma** gadakheda pasukhebs da eqimi daetankhma rom Jeims hqonda utsnauri **tsarmonaqmni** kherkhemalze. Jeimsi sastsrapod gaushves **saavadmkhoposhi siskhlis analizis** asaghebad. **Siskhlis analizma** ar achvena **tsarmonaqmnis** mizezi,**pediatrma** gadakheda mis **shemtkhvevas da** chatvala sachirod mistvis kide erti **rentgenis** da **biopsiis** gaketeba. Jeimsi nerviulobda radgan bevri eqimi modioda mis sanakhavad,**ortopedi,neiroqirurgi da hematologi. Eqtnebi** mas amshvdebdnen,mat moutanes pilmebi da video tamashebi gasartobad. Mastan bevri **mnakhveli** modioda;megobrebi da ojakhis tsevrebi modiodnen mis sanakhavad. Ganskutrebit ukhvarda rodesats eqimebs **specalurad gatsvrnili dzaghlebi** mohkhavdat;isini kargad amshvidebdnen mas da tan sakhvarlebi ikhvnen. **Sabavshvo hospitalshi** bevri gasartobi ikho **patsientebistvis.** Jeimsma gmirulad gaudzlo **siskhlis analizis** aghebas da **intravenuris chadgmas.** Jeimsma gaatara tormeti dghe **saavadmkhoposhi** sanam **dzvlis inpeqtsia daudgines.** **Pizioterapevtma** bandajhi gauketa da **antibiotikebi gamoutsera.** Ramodenime ganmeorebiti **siskhlis analizis ,rentgenis gadagebisa** da **biopsiis** shemdeg Jeimsi mzad ikho sakhlshi tsasasvlelad,kherkhemlis daavadebis gamo mas ar sheezlo skhva bavshvebis msgavsad moqtseva tumtsa mas ukharoda sakhlshi dabruneba da ojakhtan khopna da sashinel zurgis inpeqtsiis gadalakhva. **Mkurnalobis** ramodenime tvis da zurgis gasastsorebei kheremlis **operatsiis** shemdeg Jeimsi chamokhalibda dzlier janmrtel da bednier khmatsvilad. **Mkurnalobis,analizebis** da **hospitalshi** khangrdzlivi khopnis dros Jeimsi gmirulad iqtseoda da dzalas adzlevda mat vints mastan ertad am gzas gadioda.

18) Emergency
18) უკიდურესობა
18) Ukiduresoba

accident

უბედური შემთხვევა

Ubeduri shemtkhveva

---

aftershock

განმეორებითი მიწისძვრა

Ganmeorebiti mitsisdzvra

Ambulance

სასწრაფო დახმარების ეტლი

Sastsrapo dakhmarebis etli

Asthma attack

ასთმური შეტევა

astmuri sheteva

---

avalanche

ზვავი

Zvavi

Blizzard

ქარბუქი

Qarbuqi

---

blood/bleeding

სისხლი/სისხლდენა

Siskhli/siskhldena

---

broken bone

მოტეხილი ძვალი

Motekhili dzvali

Car accident

ავტოკატასტროფა

Avtokatastropa

---

chest pain

ტკივილი გულმკერდის არეში

Tkivili gulmkerdis areshi

---

choking

გუდვა

Gudva

---

coast guard

სანაპირო დაცვა

Sanapiro datsva

---

crash

დაჯახება

Dajakheba

---

diabetes

დიაბეტი

*D**i**abeti*

---

doctor

ექიმი

***E**qimi*

---

drought

გვალვა

*Gv**a**lva*

---

drowning

დახრჩობა

*D**a**khrchoba*

---

earthquake

მიწისძვრა

*M**i**tsisdzvra*

---

emergency

უკიდურესობა

***U**kiduresoba*

---

emergency services

სასწრაფო დახმარების სამსახური

*S**a**stsrapo d**a**khmarebis s**a**msakhuri*

EMT(emergency medical technician)

სასწრაფო დახმარების ექიმი

Sastsrapo dakhmarebis eqimi

explosion

აფეთქება

Apetqeba

fight

ჩხუბი

Chxubi

fire

ხანძარი

Khandzari

fire department

სახანძრო

Sakhandzro

fire escape

ავარიული გასასვლელი

avariuli gasasvleli

firefighter

მეხანძრე

Mekhanzre

fire truck

სახანძრო მანქანა

Sakhandzro manqana

first aid

პირველადი დახმარება

Pirveladi dakhmareba

flood

წყალდიდობა

Tskhaldidoba

fog

ნისლი

Nisli

gun

თოფი

Topi

gunshot

ნასროლი

Nasroli

heart attack

გულის შეტევა

Gulis sheteva

Heimlich maneuver

ჰეიმლიხის მანევრი

Heimlichis manevri

help

დახმარება

Dakhmareba

hospital

საავადმყოფო

Saavadmkhopo

hurricane

ქარიშხალი

Qarishkhali

injury

ჭრილობა

Chriloba

ladder

კიბე

Kibe

lifeguard

მაშველი

Mashveli

life support

სიცოცხლის მხარდაჭერა

Sitsotskhlis mkhardachera

lightening

ელვა

Elva

lost

დაკარგვა

Dakargva

mudslide

მეწყერი

Metskheri

natural disaster

ბუნებრივი კატასტროფა

Bunebrivikatastropa

officer

ოფიცერი

Opitseri

paramedic

სანიტარი

Sanitari

poison

შხამი

Shkhami

police

პოლიცია

Politsia

Police car

საპატრულო მანქანა

Sapatrulo manqana

rescue

გადარჩენა

Gadarchena

robbery

ძარცვა

Dzartsva

shooting

სროლა

Srola

stop

გაჩერება

Gachereba

storm

ქარიშხალი

Qarishkhali

stroke

დარტყმა

Dartkhma

temperature

ტემპერატურა

Temperatura

thief

ქურდი

Qurdi

tornado

ტორნადო

Tornado

tsunami

ცუნამი

Tsunami

unconscious

უგონო

Ugono

Weather emergency

საგანგებო ამინდი

Sagangebo amindi

Related Verbs
დაკავშირებული ზმნები
Dakavshirebuli zmnebi

to bleed

სისხლის დაღვრა

Siskhlis daghvra

to break

მოტეხვა

Motekhva

to breathe

სუნთქვა

Suntqva

to burn

წვა

Tsva

to call

დარეკვა

darekva

to crash

დაჯახება

Dajakheba

---

to cut

გაჭრა

Gachra

---

to escape

გაქცევა

Gaqceva

---

to faint

გონების დაკარგვა

Gonebis dakargva

---

to fall

დაცემა

Datsema

---

to help

დახმარება

Dakhmareba

---

to hurt

ტკენა

Tkena

---

to rescue

შველა

Shvela

---

to save

გადარჩენა

Gadarchena

---

to shoot

სროლა

Srola

To wheeze

ხრიალი

Khriali

---

to wreck

ნგრევა

Ngreva

One of the most important things parents can teach their children is how to handle an **emergency**. You often hear stories on the news about a child who saved someone by making a wise decision in an **emergency**. What you don't hear are the stories when children made a poor decision. Unfortunately, many children would not know what to do in case of a real **emergency** such as a **fire**, a **flood**, or if a parent had a **heart attack**. We hope that our children are never put in these situations, but we want them to be prepared. In an **emergency**, such as a **tornado**, an **earthquake**, or other **natural disaster,** children might react in two very dangerous ways; one of which is the superhero reaction. In this case, children think they can "save the day" and play **rescue** worker. They might try to run into a burning building or swim out to save someone in a **flood.** Make sure your children know that there are people such as **firefighters**, **police officers**, and **EMTs** that are professionally trained to handle these situations. It may seem safe to "**help**", but the danger may not be obvious to a child. If they try to "**help**" in a dangerous situation, it may make the **emergency** worse! The best thing to do is call **emergency services** and they will tell you exactly what you can do to **help**. On the other hand, the opposite reaction can be just as dangerous. Some children will try to run and hide from scary situations. Even though you may be scared, try to remain calm, find a phone, and call for **help**. As I said earlier, children often play a big role in the **rescue** efforts during an **emergency**. Here are some practical tips to teach your children about **emergency** situations. 1) Take a deep breath, relax and look around for **help**. 2) Call for **help**; either by yelling or phone. If someone has an **injury** or are hurt, the **rescue** workers can be there fast. In a **life threatening** situation, the **emergency operator** can often walk you through step-by-step what to do. 3) Never hang up on the operator; they will need details about your location and the **emergency** situation. 4) Find a safe place to wait for help. Do not put yourself in danger while you wait for the professionals, it will only create a bigger **emergency**. The best way to handle an **emergency** is to prepare yourself for one. If you know what to do in different **emergencies**, you will be better equipped to handle them. Ask your parents to teach you the **fire escape** plan in your home or what to do in case someone is **injured** at home. Ask someone to show you how to call for help; make sure the phone numbers for the **fire department**, **police**, and **ambulance** service numbers are posted on your home phone. As you get older, you can even take a **first aid** class. Remember, in all **emergencies**, remain calm and call for help and never put yourself in danger

კატასტროფა არის ერთ-ერთი უმნიშვნელოვანესი საფრთხე, რის შესახებაც მშობლებმა თავიანთი შვილები უნდა გააფრთხილონ, ასწავლონ თუ როგორ უნდა მოიქცნენ კრიტიკულ ვითარებაში.

თქვენ ხშირად გსმენიათ ბავშვების შესახებ, რომლებმაც იხსნეს სხვისი სიცოცხლე **კრიტიკულ სიტუაციაში** თავიანთი სწორი მოქმედებით. მაგრამ თქვენ ვერ ხვდებით როდის იღებენ ბავშვები არასწორ გადაწყვეტილებას. სამწუხაროდ ბევრმა ბავშმა არ იცის როგორ უნდა მოიქცეს ისეთ **უკიდურეს** სიტუაციებში როგორიცაა **წყალდიდობა,ხანძარი** ან თუ მშობელს **გულის შეტევა** დაემართა. ჩვენ ვიმედოვნებთ რომ ჩვენს ბავშვებს არ ექნებათ მსგავსი სიტუაციები,მაგრამ გვინდა რომ მზად იყვნენ ისეთი **უკიდურესობის** დროს,როგორიცაა: **ტორნადო,მიწისძვრა ან ბუნებრივი კატასტროფა.** ბავშვის რეაქცია შეიძლება იყოს ორგვარი: პირველი- გმირის რეაქცია. ამ შემთხვევაში ბავშვს ჰგონია რომ „დღეს გადაარჩენს" და **მაშველის** როლს შეასრულებს. მათ შეიძლება ცეცხლწაკიდებულ სახლში შესვლა სცადონ ან გაცურონ ვინმეს გადასარჩენად **წყალდიდობის** დროს. დარწმუნდით რომ თქვენი ბავშვებისთვის ცნობილია ისეთი პროფესია, როგორიცაა: **მეხანძრე,პოლიციელი,და სასწრაფო დახმარება** რომლებიც სპეციალურად სწავლობდნენ ასეთი სიტუაციების მოგვარებისათვის. ბავშს შეიძლება მოეჩვენოს რომ **დახმარებაში** სახიფათო არფერია მაგრამ საფრთხე შეიძლება არ იყოს თვალსაჩინო ბავშვისათვის. თუ ცდიან **დახმარებას** სახიფათო სიტუატსიაში **კრიტკულ სიტუაციას** გაუარესებს!უკეთესია დარეკოს **სასწრაფო დახმარებაში** და ისინი გეტყვიან რა უნდა ქნა რომ **დაეხმარო.** მეორემხრივ საპირისპირო რეაქცია შეიძლება ასეთივე სახიფათო იყოს. ზოგიერთმა ბავშმა შეიძლება სცადოს გაქცევა და დამალვა სახიფათო სიტუაციისგან შორს. რომ შეგეშინდეთ მაინც ეცადეთ მშვიდად იყოთ მოძებნეთ ტელეფონი და თხოვეთ ვინმეს **დახმარება.** ეს არის პრაქტიკული რჩევა თუ რა უნდა ასწავლოთ ბავშვებს **უკიდურეს** სიტუაციაში;1)ღრმად შეისუნთქოს,დამშვიდდეს და მიმოიხედოს და იპოვოს **სხნა**);2)**დახმარება** გამოიძახოს-ან დარეკოს ან იყვიროს;თუ ვინმე

არის **დაჭრილი მაშველთა ბრიგადა** მალე მოვა;თუ მისი **სიცოცხლე საფრთხეშია, მაშველი ოპერატორი** ასწავლის გზადაგზა რა უნდა გაკეთდეს; **3)**არასოდეს გაუთიშოს ოპერატორს ტელეფონი; მათ დასჭირდებათ დაწვრილებითი ინფორმაცია თქვენს **ადგილსამყოფელსა** და ვითარებაზე4)იპოვოს **უსაფრთხო** ადგილი რომ დაელოდოს დახმარებას; სპეციალისტების მოსვლამდე შეეცადეთ თავი საფრთხეში არ ჩაიგდოთ; ეს უფრო დიდ **პრობლემას** შექმნის. ყველაზე კარგი ხერხი **უკიდურესი სიტუაციის** მოგვარებისათვის არის მისთვის მზად ყოფნა. თუ იცით რა უნდა გააკეთოთ ასეთ **საგანგაშო სიტუაციებში** უფრო ადვილად გადალახავთ მათ. სთხოვეთ მშობლებს მიგასწავლონ თუ სად არის **საავარიო გასასვლელი** თქვენს სახლში და რა უნდა მოიმოქმედოთ,თუ ვინმე **დაჭრილია** სახლში. სთხოვეთ ვინმეს რომ გაჩვენონ როგორ დარეკოთ სასწრაფოში; დარწმუნდით, რომ თქვენს ტელეფონში დაფიქსირებულია **სახანძროს, პოლიციის** და **სასწრა ფოდახმარების** ნომრები. თქვენ რომ გაიზრდებით **პირველადი დახმარების** ხერხების შესწავლასაც შეძლებ. გახსოვდეთ, ყველანაირ **უკიდურეს სიტუაციაში** მშვიდად იყავით, გამოიძახეთ დახმარება და არასოდეს ჩაიგდოთ თავი საფრთხეში.

Katastropa **a**ris **e**rt-**e**rti **u**mnishvnelovanesi s**a**prtkhe,r**i**s sh**e**sakhebats msh**o**blebma t**a**vianti shv**i**lebi **u**nda g**a**aprtkhilon, **a**stsavlon t**u** r**o**gor **u**nda m**o**iqtsen **kritikul vitarebashi**. Tqv**e**n khsh**i**rad gsm**e**niat b**a**vshvebis sh**e**sakheb,r**o**mlebmats **i**khsnes skhv**i**si s**i**tsotskhle **kritikul situatsiashi** t**a**vianti sts**o**ri m**o**qmedebit. M**a**gram tqv**e**n v**e**r hvd**e**bit r**o**dis **i**gheben b**a**vshvebi **a**rastsor g**a**datskhvetilebas. S**a**mtsukharod b**e**vrma **a**r **i**tsis r**o**gor **u**nda m**o**iqtses **i**set ukidures s**i**tuatsiebshi r**o**goritsaa **tshaldideoba, khandzari** **a**n t**u** msh**o**bels **gulis sheteva** d**a**emarta. Chv**e**n v**i**medovnebt r**o**m chv**e**n b**a**vshvebs **a**r **e**qnebat msg**a**vsi situatsebi,magram gvinda rom mzad ikhvnen iseti ukidresobis dros ,rogoritsaa:**tornado,mitsisdzvra** an **bunebrivi katastropa.** Bavshvis reaqtsia sheidzleba ikos orgvari:pirveli gmiris reaqtsia.am shemtkhvevashi bavshvs hgonia rom "dghes gadaarchens' da **mashvelis** rols sheasrulebs. Mat sheidzleba tsetskhltsakidebul sakhlshi stsadon shesvla an gatsuron vinmes gadasarchenad **tskhaldidobis** dros. Dartsmundit rom tqveni bavshisatvis tsnobilia isei propesia rogoritsaa: **mekhandzre,politsieli** da **sastsrapo dakhamreba** romlebits spetsialurad stsavloben aseti situatsiebis mogvarebisatis. Bavshvs sheidzleba moechvenos rom **dakhmarebashi** sakhipato araperia magram saprtkhe sheidzleba ar ikhos tvalsachino bavshvisatvis. Tu tsdian **dakhmarebas** sakhipato situatsiashi **kritkul situatsias** gaauaresebs! Uketesia darekos **sastsrapo dakhmarebashi** da isini getkhvian ra unda gaaketo rom **daekhmaro.** Meore mkhriv sapirispiro reaqtsia sheidzleba asetive sakhipato ikos. Zogiertma bavshvma sheidzleba tsados gaqtseva da damalva situatsisgan shors. Rom shegeshindes maints etsadet mshvidad ikhot modzebnet teleponi da tkhovet vinmes **dakmareba.** Es aris praqtikuli rcheva tu ra unda astsavlot bavshvebs **ukidures situatsiashi.**1) Ghrmad sheisuntqos,damshiddes da mimoikedos ipovos **skhna**; 2)**Dakhmareba** gamoidzakhos an darekos an ikhviros;tu vinme aris **dachrili mashvelta brigada** male mova;tu misi **sitsotshkle saprtkeshia,mashveli operatori** astsavlis gzadagza ra unda gaketdes; 3)Arasodes gautishos operators teleponi;mat daschirdebat datsvrilebiti inpormatsia tqvents **adgilsmkhopelsa** da vitarebaze;4)Ipovos usaprtkho adgili rom daelodos dakhmarebas;spetsialistebis mosvlamde etsadet tavi saprtheshi ar chaigdot;es upro did **problemas** sheqmnis. Khvelaze kargi kherkhi **ukiduresi situatsiis** mogvarebisatvis aris mistvis mzad khopna. Tu itsit ra unda gaaketot aset **sagangasho situatsiebshi** upro advilad gadalakhavt mat. Stkhovet mshoblebs migastsavlon tu sad aris **saavario gaasvleli** tqvens sakhlshi da ra unda moimoqmedot,tu vinme **dachrilia** sakhlshi. Stkhovet vinmes rom gachvenon rogor darekot sastsraposhi;dartsmundit, rom tqvens teleponshi dapiqsirebulia **sakhandzros,politsiis** da

sastrapo dakhmarebis nomrebi. Tqven rom gaizrdebit **pirveladi dakhmarebis** aghmochenis kherkhebis shestsavlas shedzlebt. Gakhsovdet khvelanair **ukidures situasiashi** mshvidad ikhavit, gamoidzakhet dakhmareba da arasodes chaigdot tavi saprtkheshi.

Printed in Great Britain
by Amazon